Linden Travel

ASI ES MEDELLIN

Dumallistre

Dirección editorial: CONSUELO MENDOZA DE RIAÑO
                              SYLVIA JARAMILLO JIMENEZ
                              EMIRO ARISTIZABAL ALVAREZ

Fotografías a color: LEON DUQUE - NORA ELENA MUNERA

Fotografías antiguas: ARCHIVO MELITON RODRIGUEZ
                              ARCHIVO FAES
                              FOTO CARVAJAL

Gerente de Ediciones Gamma: GUSTAVO CASADIEGO CADENA

Textos de leyendas: PIEDAD CORREA ZAPATA

Traducciones al inglés: LUIS DAVID MERINO • LUCAS RINCON

Diseño y diagramación: ENRIQUE FRANCO MENDOZA

Corrección de textos: CESAR TULIO PUERTA TORRES

Armada electrónica: MARTHA CHAVARRO BARRETO

Asistente de producción: WILHELM LANGENDORF

Fotolito: ELOGRAF LTDA.

Impresión: FORMAS E IMPRESOS PANAMERICANA

Una publicación
de Ediciones Gamma y Somos Editores
ISBN 958-9308-36-8

Comercialización: ELIZABETH PINZON - Publicidad & Medios

ASI ES MEDELLIN

Directores

Consuelo Mendoza de Riaño

Sylvia Jaramillo Jiménez

Emiro Aristizábal Alvarez

Ediciones Gamma

Somos Editores

Contenido

El Parque de Berrío
con la iglesia
de La Candelaria
—antigua catedral—,
en 1912. (Fotografía
de Melitón
Rodríguez).

Rodriguez
1.912

El Album a Orillas del Futuro

"...entre el misticismo
y la picardía..."
Antonio José Restrepo (Ñito)

Belisario Betancur

. . . .

Es como abrir el baúl de los recuerdos.
Como pasar, una a una, las páginas del
álbum de la nostalgia, al demorarse la
mirada en fotografías amarillentas del
viento de la memoria. La ciudad radiante se devuelve sobre su siesta antigua a recoger el murmullo de los telares, cuando todavía la mulada y el arriero eran
osados a través de las montañas. La ciudad soña-
dora por la que discurrían panidas bohemios que
cantaban a los crepúsculos y a la Luna, se asoma
al futuro con denuedo, cantada por poetas que
riman al amor y al coraje. Los mismos rostros de
antaño que blandían el hacha en las manos duras
para descuajar el ensueño de las colonizaciones
por la aproximación al mar de Balboa, son las que
se escudan de aliento y echan tiempo adelante a
derrotar los riesgos de la actual aventura.

El traje le quedó breve y ahora la aldea antigua
siente su estrechura nueva. Por eso busca, busca el

Así anunciaba sus
presentaciones
el Circo España
en 1934. (Fotografía
Francisco Mejía).
Abajo, Paseo Buenos
Aires, hoy
Calle Ayacucho.

espíritu mejores aires, como dijera su cantor. Aires más tenues, trajes más anchos. La aldea sueña con las llanuras altas. Los personajes escapan de los marcos. Así también las ansias de gentes frescas que son, sin embargo, las mismas de otrora, con igual decir desmesurado, el canto igual, la picardía exacta de entonces y el misticismo contrito de aquellos tiempos. Con el arrojo temerario para abrirse paso despejando selva e igual la decisión de llegar al mar, si por su tierra o por el predio del vecino. Con la codicia de ayer para hacer camino ahora por el ancho mundo, del cual uno de sus cantores se sabía ciudadano.

Este libro recoge aquellas instancias. Ella está en el centro de los afectos: es el corazón de la tierra y, al tiempo, su motor de propulsión. Se oyen en el aire quejumbres y pesadumbres. También se oyen en ella las resonancias y las cadencias del taller innumerable. Porque todo a ella concurre: los caminos de enantes que se fueron anchando hasta convertirse en carreteras, tenían que pasar por ella, a mirarla. La levantaron en un valle estrecho para que fuera sutil y púdico el divisarla desde las celosías cimeras que la atisban. Para que los ojos indiscretos siguieran cada tarde tras el rumor de su andar. Y para que los inciensos góticos desde las torres románicas de sus iglesias mayores, y los cantos gregorianos, llegaran a las alturas de su fe con más amplios resplandores.

En las tertulias alternan los de ayer con ideales limpios de hoy. Todo incita a la evocación. Y las reminiscencias, a la decisión. Seré verídico para que no me crean, decía don Tomás. Pero, creedme, esta es la ciudad radiante del pueblo antioqueño.

Edificio Echavarría,
situado en diagonal
a la iglesia
de la Candelaria
sobre el costado
norte del Parque
de Berrío. (Fotografía
de Melitón Rodríguez,
1917).

La Plaza de Cisneros
fue durante años
la zona de mayor
movimiento comercial
de la ciudad.
Desde 1894
funcionó allí
el principal
mercado público,
en una edificación
diseñada
por el conocido
arquitecto francés Carré.

La Carrera Junín
ha sido,
en el transcurso
de la historia
de Medellín,
eje de su actividad
social y comercial.
En esta foto
de comienzos
de siglo se nota
el flujo peatonal
que entonces
invadía la vía.

BREVE HISTORIA DE MEDELLÍN

*"Seré verídico
para que no me crean"*
(T. Carrasquilla, *Hace tiempos*)

Rocío Vélez de Piedrahíta
. . . .

Medellín nació de parto difícil.
En el año de 1541 don Jorge Robledo le ordenó a Jerónimo Luis Tejelo que fuera a explorar una depresión que desde lejos se apreciaba en la cordillera. El 24 de agosto, con un puñado de hombres entró a un valle de gran belleza: aguas cristalinas, clima ideal, rica vegetación. Los indios lo llamaban Aburrá; los españoles lo bautizaron de San Bartolomé.

El primer colono fue don Gaspar de Rodas: seducido por la belleza y feracidad de la tierra, pidió al cabildo de Santa Fe tierra "para fundar hatos de ganado e estancias de comida"[1]: su petición fue atendida con liberalidad.

En 1616, el visitador oidor don Francisco de Herrera y Campuzano, creó en San Lorenzo de Aburrá un "resguardo" para indios. Pero no estaba permitido que en un resguardo de indios vivieran españoles, y como donde no hay ricos les va mal a los pobres, los indios de San Lorenzo se fueron dispersando hasta que no quedaron sino cinco, en vista de lo cual un nuevo visitador autorizó el traslado de la iglesia al sitio de Aná. La acción se vio entorpecida porque el Cabildo Eclesiástico de Santa Fe "se oponía a todo adelanto que se intentara hacer en Aburrá"[2]: los

---

1. *Algo de lo nuestro*, pág. 25, edición auspiciada por Tejidos El Cóndor S.A., Bedout, 1960.
2. Alberto Bernal Nicholls, *Apuntaciones sobre los orígenes de Medellín*, pág. 56.

vecinos decidieron edificar un templo en Aná, digno de su Cofradía de Nuestra Señora de la Candelaria.

Algunos españoles, vecinos de la ciudad de Antioquia, llegaron a comprar tierras para montar haciendas, entre ellos don Mateo de Castrillón y su hija, la famosa doña Ana de Castrillón: el valle de Aburrá fue su pasión. Convenció a su primer marido, el gobernador Juan Gómez de Salazar, para que dejara las ricas minas de Buriticá y una brillante y cómoda posición en Antioquia, y se viniera a luchar por el desarrollo del valle. Su segundo marido, don Francisco Montoya y Salazar, un vasco recién llegado de España con el nombramiento de gobernador, fue el gran adalid en el empeño por obtener la bula real de fundación de Medellín. Juan de Menoyo y Angulo, su tercer marido, otro vasco, aventurero astuto, le robó todo el oro que pudo y se fugó a España.

Fue grande la influencia de doña Ana. Con su poderoso grupo familiar consolidó la conquista del Aburrá: hermanas, cuñados, hijos, sobrinos "se agarraron definitivamente a sus pegujales y lucharon por su ensanche". "Y voy a serle franco: sin la colaboración de los Castrillones no se puede gobernar en la provincia. Esto es un axioma"[3].

Los vecinos de la ciudad de Antioquia empezaron a temer la competencia de esta mínima población, y manifestaron a la Real Audiencia que los perjudicaba el adelanto de Aburrá. Pero otra cosa pensaban los del valle: desde 1661 empezaron a pedir cabildo.

Para toda actividad —desde entablar un real de minas o abrir monte, hasta edificar un rancho o castigar un robo— se necesitaba el visto bueno de Santa Fe de Antioquia; el corregidor local, con muy poca autoridad, hacía el recorrido de 14 leguas por malos caminos y, si no encontraba al encargado, tenía que contratar quién diligenciara el asunto; y por supuesto pagar los viajes y viáticos que fueran menester. Cabildo era sinónimo de autonomía, eficiencia, economía.

Dos cédulas reales aparentemente ajenas al asunto, abrieron el camino. La primera ordenaba reducir a vecindad a todas las personas dispersas por el valle, lo cual aglutinaba la población; la segunda encargaba a los gobernadores de Cartagena, Popayán y Antioquia,

---

3. Palabras que pone Bernardo Jaramillo Sierra en boca de don Miguel de Aguinaga; *Ana de Castrillón*, pág. 303.

Arriba, una panorámica
de Medellín tomada
hacia 1930
desde el barrio
de Los Angeles,
al oriente de la ciudad.
La única edificación
grande que entonces
existía era la Catedral
Metropolitana.

la conquista del Chocó: lo que conquistaran se agregaría a sus gobernaciones, pero los gastos los pagaba cada cual. El gobernador, don Luis Francisco de Berrío, pensó que si obtenía permiso para elevar a categoría de villa el sitio de Aná, podría vender los cargos del Cabildo de la nueva villa, y con ellos financiar la apetecible conquista del Chocó…

Pidió el permiso a la Real Audiencia, y se lo dieron. La noticia llegó a la ciudad de Antioquia e "inmediatamente todo se puso en movimiento para impedir el nacimiento de una ciudad rival"[4]; reunieron el cabildo de afán y elevaron un extenso memorial en contra de la proyectada villa. Sin embargo los oidores autorizaron al gobernador para seguir adelante.

La autorización llegó cuando Berrío ya había muerto y la recibió el nuevo gobernador, don Francisco Montoya y Salazar —segundo esposo de doña Ana—, quien sin la menor dilación, procedió a vender los cargos del futuro cabildo. ¡Aparatosa lista de funcionarios para un diminuto poblado con apenas 28 dueños de casa!: alcalde mayor, alcalde de la Santa Hermandad, dos alféreces reales, alguacil mayor, depositario general, tres regidores… Sin perder tiempo compraron terrenos para 'la casería', y encargaron al alarife Agustín Patiño de trazar la villa, con orden de enderezar las calles.

Antioquia insistió en su protesta, y a los poderes civiles se unió el clero: "Pedimos y suplicamos que (…) suspenda la población de la dicha villa de Aná…"[5]. Fue inútil: por una parte la corona ya había recibido el dinero por la venta de dignidades, y por otra quienes habían pagado sus puestos exigían la fundación: don Francisco Montoya dictó un auto en que declaraba fundada la Villa Nueva del Valle de Aburrá de Nuestra Señora de la Candelaria; escogieron —no había tiempo que perder— iglesia parroquial, casas para cabildo y cárcel, santos patronos, y repartieron solares. Se reunió el cabildo; hubo toros, juegos de caña y regocijos públicos.

Los 4.000 habitantes de Antioquia siguieron forcejeando. Ofrecieron pagar, bajo fianza, a cambio de suprimir la villa, una suma mayor al valor de los cargos: ¡les aceptaron! La naciente villa apeló una vez más, y los vecinos pagaron de su bolsillo un procurador en Madrid que los defendiera ante el Consejo de Indias. Los consejeros reales fallaron a favor de la villa con la sola condición de que en el transcurso "de diez años, no se admitan en la nueva villa vecinos de la ciudad de Antioquia porque no se despueble"[6].

Llegó, ¡por fin!, la real cédula firmada por la reina Maríana de Austria el 22 de noviembre de 1674: era la Villa de Nuestra Señora de la Candelaria de Medellín. Cuando llegó la cédula real, ya había muerto don Francisco Montoya y Salazar, y don Miguel de Aguinaga, gobernador y comandante general de la provincia pasó a la historia como fundador de la ciudad: unos cargan la lana y otros la fama.

En la vida de Medellín —como en la del departamento de Antioquia— marca un hito la llegada del oidor visitador don José Antonio Mon y Velarde, en 1785: observó, diagnosticó, realizó. Le puso nombre a las calles e hizo numerar las 242 casas de un piso y las 29 de balcón, ordenó arreglar el camellón que sale para Envigado e Itagüí "aunque deba costearse de los propios, ya por repartimiento como en el caso presente": primera experiencia de realizar obras por valori-

El Palacio de la Gobernación —hoy Palacio de La Cultura— y sus alrededores. Fue construido entre 1920 y 1938 frente a la Plazuela de Nutibara. (Fotografías de Francisco Mejía).

4.   Op. Cit. A. Bernal Nicholls, pág. 31.
5.   Ibidem, pág. 38.
6.   Ibidem, pág. 53.

ación, una figura que durante la segunda mitad del siglo XX fue definitiva para el desarrollo de la ciudad.

En el siglo XVIII surgió en el Aburrá una recia clase comerciante. El comercio y la tierra fueron los intereses mayores; en cambio el medio era reacio a la guerra. Durante las gestas libertadoras no sólo "en Antioquia prácticamente no se combatió"[7], sino que logró en cierto modo sustraerse a los efectos del conflicto. Se hizo imposible importar de España, las exportaciones de oro declinaron y los transportes dentro de Nueva Granada se hicieron difíciles; pese a estas limitaciones aumentó la productividad por persona, acabaron con la minería de esclavos y, la mano de obra liberada, se dedicó a la agricultura; buscaron autoabastecimiento de víveres, incrementaron la población ganadera y la producción de panela. El resul-

tado, sorprendente, fue que al terminar las guerras de la independencia a los comerciantes de Medellín les había ido bien.

En 1813 don Juan del Corral —dictador electo de la provincia de Antioquia— erige la villa en ciudad; en 1826 se convierte en capital de Antioquia.

A los factores sociales y económicos que favorecieron el desarrollo de finales del siglo XIX y principios del XX, debe sumarse el gobierno excepcional del doctor Pedro Justo Berrío. El doctor Berrío concentró sus esfuerzos en la educación: inició la escuela de Artes y Oficios, dispuso la creación de una biblioteca pública; realizó un Estatuto de la Instrucción Primaria

7. Gabriel Poveda Ramos, *Dos siglos de Historia Económica de Antioquia*, pág. 57.

Edificio Gonzalo Mejía, donde quedaban el Hotel Europa y el Teatro Junín. Al frente corría la quebrada Santa Elena, que fue cubierta después para dar origen a la Avenida de La Playa. Actualmente se encuentra allí el Edificio Coltejer. (Fotografía de Francisco Mejía, 1928).

Varios aspectos
de la plaza principal,
hoy Parque de Berrío.
A la izquierda, una parada
militar del siglo pasado
y la línea del tranvía
en 1925, con el Edificio
Echavarría al fondo.

A la derecha, plaza principal
y antigua Catedral —hoy
iglesia de La Candelaria—
en 1892 y la foto inferior
muestra la calle bordeada
de edificios que se abrió paso
frente a ella. (Fotografías
de Melitón Rodríguez y
Gonzalo Escovar).

mediante el cual organizó un sistema docente que durante mucho tiempo fue el mejor del país. Convirtió el Colegio de Antioquia en universidad, y creó la Escuela de Ingeniería. Trajo profesores de Alemania para poner a funcionar la Escuela Modelo y la Normal de Institutores. En 1870 preside la junta que programa la construcción de una catedral.

El doctor Pedro Justo Berrío murió en 1875 pero ya el impulso estaba dado. Vinieron comunidades europeas a abrir colegios; había academias de medicina, historia, jurisprudencia. La ciudad tenía 37.237 habitantes.

No puede escribirse una historia de Medellín sin mencionar las Empresas Públicas. A fines del siglo XIX instalaron el alumbrado público con 150 grandes bombas de arco voltaico. Quedaba atrás la orden del acuerdo inicial sobre alumbrado público que ordenaba encender sendos faroles en las cuatro esquinas de la plaza excepto en noches de luna[8]. En 1895 se formó la Cía. Antioqueña de Instalaciones Eléctricas; día a día se incrementaba la demanda de energía. En 1955 se alteró fundamentalmente la estructura de la compañía que se convirtió en entidad autónoma, propiedad del municipio de Medellín, pero con la libertad necesaria "para poder operar con toda agilidad"[9].

Medellín no tenía río navegable ni costa vecina, y la topografía circundante era un obstáculo para el trazado de carreteras. Francisco Javier Cisneros, ingeniero cubano, llamó Puerto Berrío al lugar que escogió para iniciar el ferrocarril que debía conectar la ciudad con el río Magdalena. Comenzó la obra en 1875; a los 39 años —en 1914— llegaron a Medellín los rieles. Quedaba pendiente solucionar el paso por La Quiebra, que fue resuelto con un túnel por el ingeniero Alejandro López quien concibió "con audacia y acierto técnico una de las obras más grandes de ingeniería civil que se hayan hecho en Colombia, la primera y única de su género que se haya construido hasta hoy"[10]: se inauguró en 1929.

Era preciso conectarse también con el río Cauca y Alejandro Angel propuso al Ministerio de Obras Públicas la realización del ferrocarril de Amagá, bajo la dirección del ingeniero Camilo C. Restrepo; en febrero de 1911 vino el presidente de la República, Carlos E. Restrepo, a colocar el primer riel, de una obra cuyas dificultades la convirtieron en una hazaña.

Faltaban todavía una salida al mar y la comunicación aérea. En 1919 Guillermo Echavarría Misas reunió un grupo de empresarios antioqueños para crear la primera empresa de aviación comercial del país; a lo largo de toda su vida, Gonzalo Mejía luchó por una carretera que diera salida al mar y soñó con un puerto en el golfo de Urabá.

Como hongos se multiplicaban las empresas industriales en un gran abanico de diversificación: varias empresas de textiles, tabaco, locería, tipografía, gaseosas, galletas y confites, calzado, manufacturas de cueros; cerveza, fósforos, chocolates, curtiembres; mecha para explosivos, botones, jabones, fundición de hierro y cobre, camisas, molinos de harina de trigo, talabarterías, tejares; fábricas de peines, helados, velas... En 1925 había 124 establecimientos manufactureros en Medellín. Fue cuando se la llamó Ciudad Industrial de Colombia.

El afán generalizado se contagió al arzobispo Manuel José Cayzedo: ofició la primera misa en la catedral cuando la obra aún no estaba terminada.

Siguió progresando a pesar de la primera Guerra Mundial y la sequía del río Magdalena en 1925 y 1926 que estancó las actividades de la ciudad y el departamento.

La gran crisis la encontró con 120.000 habitantes, la segunda ciudad del país. El año crítico fue 1932. Las rentas de Antioquia se fueron al suelo, el empleo femenino bajó 28% en tres años; las industrias pequeñas se fusionaron con otras más fuertes para poder resistir el embate. Para no dejarse amilanar por la difícil situación, Medellín, con un gesto típico, realizó la primera Feria Exposición Industrial.

La crisis originó uno de los fenómenos que más aporrearían a la ciudad: las débiles fábricas de otros pueblos del departamento cerraron, y sus dueños emigraron a Medellín donde empieza un crecimiento demográfico agobiante. A la afluencia de foráneos se

8. L. López de Mesa en *El Libro de Oro de Medellín*, pág. 44.
9. Jorge Restrepo Uribe, *Medellín su origen, progreso, desarrollo*, pág. 386. En 1963 el Banco Internacional de Desarrollo declaró que las EEPP de Medellín "eran la entidad que podrían considerarse PILOTO, tanto por su organización, como por su cumplimiento"; siguen siendo motivo de orgullo para los medellinenses.
10. G. Poveda Ramos, *Historia Económica de Antioquia*, pág. 230.

uma el descontrol de la natalidad. La ciudad absorbe, no solamente los habitantes de los pueblos antioqueños, sino también sus recursos financieros: se hace centralista.

Y sin darse cuenta, se encierra, se acomoda, se amodorra y se estanca. Todavía aparecen, por el impulso que traía, nuevas empresas pero… "La industrialización como esfuerzo individual comenzó a perder importancia"[11].

Cuando resultaba indispensable asociarse con capital extranjero para alcanzar la velocidad de la tecnificación, los empresarios de Medellín envolvieron sus compañías en impenetrable, destructivo cariño protector; mientras ellos envejecían, las empresas se volvieron obsoletas.

La señal de que ese período de apogeo se había cerrado, pasó inadvertida: fue la cancelación de la Bienal de Arte de Medellín cuando ya el evento tenía renombre internacional.

A la sordina fueron gestándose los factores que traerían, de un lado, los más grandes dolores a la ciudad; del otro, la capacidad para sobrellevarlos, superarlos y asumir de nuevo una posición vibrante de laboriosidad y progreso.

Los años de "la violencia" —alrededor de la década de los 50— lanzaron sobre Medellín a muchos fugitivos; gente honesta de los campos, personas apreciadas en los pueblos, que vendían sus propiedades y se refugiaban en la ciudad; llegaban con algún dinero, valores morales, capacidad de trabajo. A pesar de su cantidad y desolación, la ciudad logró absorberlos.

Muy diferente fue la situación en los años 70. Grandes oleadas de inmigrantes en busca de trabajo, servicios, atención médica, o empujados por la guerrilla y el abandono rural, se fueron amontonando falda arriba, sobre las montañas circundantes, listas para derrumbarse y triturarlos, o enloquecerlos de necesidades y angustia. Se formó hacia el norte otra ciudad, que los gobernantes descuidaron y la vieja ciudad desconocía. El nivel de educación había descendido peligrosamente, los valores morales se desdibujaban, los lazos culturales pueblerinos se es-

11. G. Poveda Ramos, *Dos siglos de Historia Económica de Antioquia*, pág. 196.

El Parque de Berrío debe su nombre al doctor Pedro Justo Berrío, que fue presidente del Estado Soberano de Antioquia. Su estatua se alza en el centro del parque. (Fotografía de 1910.).

En 1921 se estableció un buen servicio de tranvía eléctrico, que partía del Parque de Berrío y llegaba a sitios tan aislados como La América y Robledo.

Estas dos fotografías de 1909, tomadas por Gonzalo Escovar, muestran la céntrica y comercial Calle Colombia y la iglesia de La Veracruz, antiguo templo español.

fumaban. Agréguese a lo anterior que las determinaciones del presidente (1974-1978) asestaron un duro golpe a la industria y elevaron el desempleo a niveles inmanejables. Sobre ese resquebrajamiento del suelo y de la vida, se desencadenó finalmente una catástrofe imprevisible: los países occidentales desarrollados tenían sed creciente, ¡insaciable!, de droga, y para satisfacerla estaban dispuestos a pagar —ha quedado demostrado— cualquier precio. Extendieron sobre los Andes una capa impermeable de dinero, devastadora, que aniquilaba tierras, hombres, valores. Surgieron polos de cultivo, procesamiento y distribución. Una lucha vana por entorpecer la demanda febril del vicio ensangrentó a Colombia y tuvo por centro del combate a Medellín.

Resulta extraño que los muchos observadores, críticos, analistas, que estudiaron el fenómeno cáustico que vivió la ciudad, hayan pasado por alto el hecho de que la primera manifestación tangible de lo que se avecinaba, se presentó a los medellinenses bajo la forma de una estrambótica bacanal agropecuaria. No podía serles indiferente a los descendientes de Ana de Castrillón, la visión alucinante de establos estrafalarios, inmensos toros importados, vacas de ubres ampulosas, caballos deslumbrantes; ¡el todo adobado con elefantes, jirafas, avestruces, hipopótamos, pavos reales…! Pagaron caro ese primer deslumbramiento campesino.

Pero como esos felinos que ante la proximidad de un gran esfuerzo, se concentran y contraen todos los músculos para el esfuerzo que se avecina, junto con el desarrollo del mal, la ciudad generó sus defensas, empezando por la infraestructura en todos los campos. En 1984 Medellín inauguró el Planetario, la Terminal de Transportes, el relleno sanitario Curva de Rodas —modelo en América Latina, con capacidad para 1.000 toneladas diarias de basura de ocho municipios vecinos y duración proyectada hasta el año 2010—, y una nueva plaza minorista. Antes de acabarse al año de 1987 ya estaban terminados los teatros Metropolitano y el de la Universidad Medellín —cada uno para 2.000 espectadores— y el nuevo centro de administración departamental y municipal, La Alpujarra. La Alcaldía Cívica, figura que apareció en 1984 —con Jorge Molina Moreno a la cabeza—, se dio a la tarea de reforestar las 550 hectáreas de zonas verdes de la ciudad, a un ritmo anual de 10.000

árboles de especies nativas o adaptadas, preferentemente frutales o de flores: cámbulos rojos, guayacán rosado y amarillo, lluvia de oro, calistemos blancos, mangos, guayabos...

Siguiendo un instinto tradicional de migración, los medellinenses —desde los años 30—, habían ido a husmear, sin éxito, la inhóspita región de Urabá. Ahora, arremetieron con frenesí esa colonización. El resultado fue que en los años 90, Urabá, a pesar de debatirse en medio de una confrontación social y política descontrolada, violenta, de proporciones inimaginables, se había convertido en una de las zonas más ricas del país. Desde Medellín se maneja el comercio nacional del banano.

Eso a la vista. Calladamente, ahogada por el traqueteo de la lucha que difundían con regodeo amplificador los medios nacionales e internacionales —cuando la ciudad adolorida suspendió por primera vez las fiestas de las flores, y no pocos la tenían por rendida—, Medellín contra lo previsible crecía culturalmente. A partir de 1984 se proyecta el "Plan de desarrollo cultural de Medellín" aprobado por el Concejo municipal en 1990. Este documento trascendental de la historia contemporánea de la ciudad, es un acto de fe, optimismo y decisión sin precedentes si se tiene en cuenta el momento en el cual se concibió. Representa el reconocimiento de las posibilidades humanas de esa población de dos millones de personas, y reúne en

La Calle Bolivia como era hacia 1928. (Fotografía de Francisco Mejía).

Tranvía
a La América,
en la Estación
del Ferrocarril
de Cisneros.
(Fotografía
de Benjamín
de la Calle).

tante del país. Vuelve a florecer en su Exposición Internacional de Orquídeas.

Hay otro aspecto, sin duda el más importante quizás el menos conocido, de la vida de Medellín: l. investigación y el trabajo científico, actividades esta que adquieren cada día mayor importancia en la vid. de la ciudad. En este terreno están trabajando con rigor científico y excelentes resultados, el Centro de Investigaciones Regionales, el Centro de Inves tigaciones Tecnológicas, la Facultad Antioqueña de Estudios Sociales —FAES— [12], y la Corporación para Investigaciones Biológicas [13] que recibió en diciem bre de 1991 el premio de Colciencias, entre 150 par ticipantes, como el mejor grupo de investigadores colombianos. Los 19 títulos que ha publicado el fondo editorial del CIB, utilizados como textos en los países latinoamericanos, constituyen un caso importante er el país, de exportación de ciencia.

La historia contemporánea tiene a su favor, el dato reciente de testigos presenciales; pero adolece de falta de perspectiva para juzgar adecuadamente las consecuencias y la trayectoria final de los hechos Cuando se tenga esa perspectiva en el tiempo, quizá. la historia calificará el decenio que vivió Medellín durante los años 80, como "su hora más gloriosa", y la llegada al siglo XXI como una asombrosa victoria

una sola visión, con proyección y método, la ciudad vieja y la nueva. Contempla programas para conservar, restaurar y fomentar patrimonios arquitectónicos, Escuela Popular de Arte, teatro, danzas, bibliotecas populares, "las manifestaciones lúdicas, lingüisticas, simbólicas, gráficas, plásticas…".

La situación que al comienzo de los años 80 parecía sin salida, cambió de aspecto. La esperanza de recuperación se manifestó en primer término en un terreno inesperado: el deporte. El trabajo perseverante de entrenadores y deportistas, las posibilidades que ofrecen 220 placas polideportivas, culminaron con la victoria en los XIV Juegos Deportivos Atléticos Nacionales de Barranquilla, en mayo de 1992.

Simultáneamente, los músicos jóvenes empiezan a superarse tanto en el exterior como en su propia ciudad, como integrantes de las orquestas Sinfónica y Filarmónica, en coros, agrupaciones populares, etc.; el teatro local adquiere solidez y prestigio. Entre los representantes de la vieja guardia, Manuel Mejía Vallejo obtuvo en 1990 el premio Rómulo Gallegos a la mejor novela en español de los últimos cuatro años.

En el primer semestre de 1992 Medellín, convertida en centro nacional textil y de la confección, realiza con éxito Colombiatex, la feria textil más impor-liza con éxito Colombiatex, la feria textil más impor-

12. FAES, creada por el abogado-historiador Luis Ospina Vásquez en 1976, tiene por objetivo la investigación de las ciencias sociales y humanas, con énfasis especial en la región antioqueña. Su biblioteca iniciada con los 12.000 volúmenes del doctor Ospina, es actualmente una de las más importantes del país en esta área. Es invaluable el material recogido en el Centro de Memoria Visual y de gran importancia las publicaciones sobre procesos históricos que hace el Fondo Rotatorio de Publicaciones FAES.

13. La Corporación para Investigaciones Biológicas —CIB—, entidad creada y radicada en Medellín, tiene como director científico y del programa de Control Biológico de Mosquitos, al doctor William Rojas, y como directores de sección: doctora Angela Restrepo M., jefe de laboratorio, Ph. D. en microbiología, ganadora del Rhoda Benham Award del Medical Mycology Society of the Americas (MMSA) California, en 1990, y de la Canadian Society for Medical Mycology Medal, en Montreal, 1991; Parasitología, doctor Marcos Restrepo; Inmunología, licenciada Fabiola Montoya; Bacteriología, doctor Jaime Robledo, doctor Hugo Trujillo; Farmacología Clínica, doctora María Isabel Múnera; Biología Molecular, doctor Juan Guillermo Mc Ewen.

El salón de clases
de mecanografía
en la Escuela Remington,
que quedaba en Junín
(Carrera 49) con Colombia
(Calle 50).
También el laboratorio
del Colegio
de San Ignacio,
hacia 1935.
(Fotografías
de Francisco Mejía).

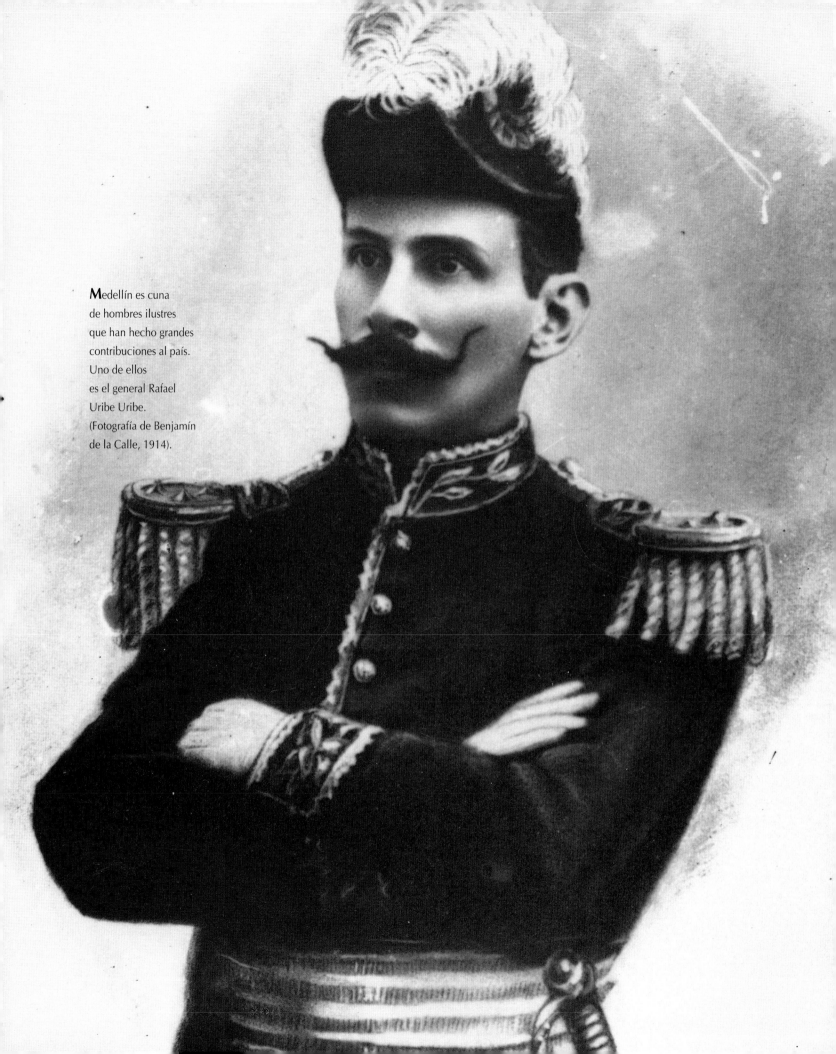

Medellín es cuna de hombres ilustres que han hecho grandes contribuciones al país. Uno de ellos es el general Rafael Uribe Uribe. (Fotografía de Benjamín de la Calle, 1914).

A la izquierda, en 1897,
don Alejandro Echavarría
—textilero y promotor del Hospital
de San Vicente de Paúl—.
A su lado, una foto de 1910
de don Fidel Cano, fundador
del diario *El Espectador*.
Abajo, el presidente Carlos
E. Restrepo, que gobernó
a Colombia entre 1910 y 1914.
A la izquierda, una foto
de don Rudesindo Echavarría en 1906,
industrial, promotor de empresas
y padre del exministro de Hacienda
Luis Fernando Echavarría.
(Fotografías de Benjamín de la Calle
y Melitón Rodríguez).

Doña Ana Mejía
de Restrepo, esposa
de Camilo C. Restrepo
—exgobernador
de Antioquia—,
y sus hijas.
(Fotografía
de Melitón
Rodríguez, 1928).
Doña María Josefa
Echavarría
de Echavarría
con sus hijos
y sus allegados.
Familia textilera
antioqueña
(Fotografía de Melitón
Rodríguez, 1913).

26

Doña Helena Ospina
de Ospina, madre del doctor
Alfonso Ospina Ospina.
Foto tomada para la revista
Madre (fotografía de Melitón
Rodríguez, 1929).
Niña en su triciclo
(fotografía de Oscar Duperly).
Arriba, a la izquierda, doña
Luz Castro de Gutiérrez,
matrona antioqueña fallecida,
madre del ex ministro Edgar
Gutiérrez Castro (fotografía
de Melitón Rodríguez, 1928).

Walter Bridge

creó a principios de siglo
una empresa que lleva
su nombre y que ha
estado vinculada
al desarrollo industrial
y comercial de Medellín,
mediante el suministro
de equipos, maquinaria
y servicios. **Walter Bridge**
se ha caracterizado
por su seriedad
y responsabilidad,
lo que la convierte
en una compañía
de gran tradición.

Autorretrato
de Benjamín
de la Calle
(1869-1934).
Posa con el traje
que vestía para
trabajar. (Fotografía
de 1906).

Planta de hilados y telares
de Coltejer (arriba, en una
fotografía de Francisco Mejía,
1940). La otra imagen corresponde
a la fachada del edificio
del Banco de la República,
hacia 1933. Quedaba contiguo
a la iglesia de La Candelaria
en el Parque de Berrío.
Actualmente ocupa ese lugar
el edificio de la Bolsa de Medellín.

LA INDUSTRIALIZACIÓN Y EL CRECIMIENTO URBANO

Edgar Gutiérrez Castro

. . . .

La historia económica de Medellín como centro urbano está íntimamente ligada a la tradición minera antioqueña del siglo XVI y a la peculiar dinámica empresarial que marcaron en el espíritu paisa las Ordenanzas de Minas del gobernador Gaspar de Rodas, base del derecho minero antioqueño. Es claro que con el correr del tiempo estas ordenanzas representaron el núcleo del capital y del progreso industrial de Medellín. La minería forjó al empresario que durante la época colonial y en los primeros años de la República inició el proceso industrial de Antioquia en las postrimerías del siglo XIX y primera mitad del siglo XX. Esa casta minera recia y morena fue la protagonista singular de la formidable tarea de formación de capital y de empresas que tipificaron el crecimiento industrial de Antioquia de la época moderna. El duro espíritu minero, su fuerte inclinación al ahorro y a la asociación de capital y el talante necesariamente austero que siempre caracterizó la vida en las minas, sembró la semilla de lo que posteriormente constituiría la cruzada industrial de Antioquia.

Medellín creció como centro urbano al impulso de la industrialización de Antioquia. Se conformó como el producto natural de ese espíritu minero, frugal y empresarial, y al fin de cuentas reflejó en su proceso urbano los vicios y virtudes de este origen: dureza, ansiedad, insensibilidad, cierta dosis de egoísmo, organización y fuerza competitiva. La actividad de "mazamorreros" y "zambullidores" en su contorno simple inoculó en la clase dirigente antioqueña un

elemento popular que determinó en cierta forma el crecimiento desordenado, un poco anárquico, sin pretensiones ni buen gusto, de una malla urbana que hoy presenta formidables problemas para convertirla en una verdadera metrópoli de condiciones amables para el ciudadano, para la familia y para la sociedad.

La capacidad de crear empresa no siempre garantiza la capacidad de crear comunidades ordenadas y amables. El talante antioqueño duro no condujo, infortunadamente, a esa clase de comunidad. Medellín creció sin orden, sin muchas contemplaciones por su estética y por la calidad de su vida comunitaria. La transición de la aldea de fines del siglo XIX a la metrópolis de fines del siglo XX no fue un proceso cuidadosamente planificado y exento de traumatismos. Quien se ha señalado como el primer urbanizador moderno de la capital de Antioquia, don Modesto Molina, no fue en realidad un virtuoso de la planificación. En 1874 inició la parcelación de sus amplias propiedades en Buenos Aires de la manera más anár-

quica imaginable. El posterior crecimiento de la ciudad siguió por muchos años su ejemplo, sin cuidado ni disciplina, sin planes reguladores ni sentido comunitario. Al iniciarse el siglo XX y justamente antes de la "revolución industrial" paisa, Medellín era apenas una aldea apacible y silenciosa de unos 60.000 habitantes con callejuelas pintorescas, alfombradas de grama natural y enmarcadas en flores. Empezaban entonces a producirse algunas expresiones de bella arquitectura neoeuropea como la Catedral de Villanueva, la estación del ferrocarril y la Universidad de Antioquia, pero al mismo tiempo comenzó también a desmontarse poco a poco el escaso conjunto de arquitectura colonial atractiva con la que inició su vida urbana.

Con la llegada del ferrocarril a Medellín en 1914, la colocación de la primera piedra del hospital de San Vicente de Paúl, y la creación de la primera institución municipal de servicios públicos, la Empresa de Teléfonos, se inició el tránsito de Medellín hacia una omunidad moderna que buscaba acomodar a impulsos un creciente y apresurado movimiento industrial. De ahí en adelante la corriente de industrialización fue vertiginosa. Antes de las dos crisis mundiales de los años 20 y 30, Medellín ya mostraba orgullosamente muchas de las que hoy son grandes corporaciones empresariales. En ese entonces operaban ya como sociedades anónimas las compañías de Tejidos Medellín, Unión, Coltejer y Rosellón; la Compañía Colombiana de Tabaco, la Compañía Colombiana de Seguros, la Nacional de Chocolates, Postobón, Noel, Naviera Colombiana, Fósforos Olano, la Antioqueña de Transportes, los bancos Alemán-Antioqueño (hoy BCA), Sucre y Republicano, y muchas otras.

Esta corriente de industrialización trajo consigo un formidable auge en la construcción urbana y una ampliación notable del área física de la ciudad. Entre 1921 y 1925, por ejemplo, se triplicó el número de construcciones anuales en la ciudad. La crisis de 1929 produjo, por supuesto, un fuerte impacto negativo en esta naciente industrialización. La caída drástica de las importaciones y las medidas deflacionarias de entonces tuvieron un impacto grave en una industria cuyos insumos eran foráneos en cerca de un 60%. El índice industrial descendió a la mitad. El espíritu duro

y minero del antioqueño, el alto grado de conciencia industrial de los trabajadores, y la decisión y energía con que los empresarios y dirigentes enfrentaron la crisis permitió, a juicio de los historiadores económicos de la época, que el número de las empresas clausuradas fuese excepcionalmente reducido. Un proceso imaginativo de consolidación y fusión de empresas ayudó a sortear con éxito la difícil situación. Se fortaleció el grupo de cervezas y surgieron nuevas empresas como las de cemento, de aceites y grasas, de alimentos, confecciones, caucho y cueros. Siguieron las industrias del vidrio y metalmecánicas. El producto industrial regional de Antioquia se triplicó en términos reales entre 1931 y 1939, y en buena medida esto pudo lograrse gracias al estímulo ofrecido por las leyes proteccionistas de principios de esa década. A esto se agregó el poder catalizador de la nueva legislación sobre sociedades anónimas de 1931.

Este reverdecimiento de la empresa antioqueña pudo lograrse antes de la segunda Guerra Mundial con un mínimo de capital extranjero. Fue el espíritu de asociación antioqueño y su proverbial austeridad empresarial lo que facilitó la cohesión y canalización de un volumen importante de capital local hacia la industria. Esto, a su vez, significó un visible impulso a la mo-

Dos formas de hacer publicidad ilustran esta página: una foto promocional de cigarrillos (1939) y un carro repartidor de Almacenes Ley (1938). (Fotografías de Francisco Mejía).

Planta
de producción
de cerveza.
(Fotografía
de Francisco
Mejía, 1931).

dernización de la economía nacional en su conjunto. Después de Antioquia el germen de industrialización y de vigor empresarial empezó a extenderse al resto del país.

El desarrollo físico de Medellín recogió en buena medida los efectos negros y blancos de esta nutrida expansión industrial. La capital de Antioquia como centro urbano ofrece una pasmosa impresión de dinamismo a tono con la carrera de formación de capital físico que ha tenido lugar desde comienzos del siglo. Una de estas manifestaciones de progreso ha sido la forma vigorosa como a lo largo del presente siglo ha respondido a las necesidades de servicios públicos de la comunidad en conjunto. Medellín posee en la actualidad los índices más altos de densidad de estos servicios por grupos de habitantes en términos de teléfonos, kilovatios, agua potable, alcantarillado, disposición de basuras y provisión de vías públicas de todo el país. Las instituciones públicas que se han venido formando para ofrecer estos servicios han representado, asimismo, modelos de organización en el concierto nacional y a menudo se les ha citado como prototipos en círculos financieros internacionales.

Pero a pesar de todo lo anterior la fuerza demográfica de las últimas décadas, alimentada en buena medida por migraciones masivas de las áreas campesinas, ha creado problemas superiores a la capacidad de las autoridades para resolverlos. Las grandes barriadas que se han formado en los últimos treinta años han desbordado la tradicional estructura del "barrio" tradicional y sus mecanismos seculares de control social. Este desbordamiento ha creado en el centro de la ciudad fenómenos inverosímiles de hacinamiento, corrupción y desorden. La deficiente provisión de facilidades de expansión, recreación y esparcimiento han dejado incubar situaciones aterradoras de criminalidad.

La estrecha topografía del Valle de Aburrá no ha ayudado a manejar los problemas de congestión vehicular. En la medida en que aumenta la densidad habitacional y comercial del centro y los suburbios, la presión sobre las vías públicas ha resultado inmanejable. La ciudad y sus autoridades han sido lentas en ofrecer soluciones viales de mayor aliento. El sistema impositivo ha sido insuficiente para responder a las exigencias de un verdadero plan vial municipal que facilite una interconexión eficiente del centro y la periferia. El tren metropolitano, defectuosamente concebido y realizado, va a ser apenas una solución parcial y se ve con preocupación que ha faltado cohesión comunitaria cuando se han planteado recientemente soluciones de fondo sobre el tema. Se ha echado acá de menos el tradicional liderato y espíritu de solidaridad antioqueños, y da la impresión de que ahora Medellín se mueve a la zaga del movimiento moderno de urbanización en la América Latina. No existe en la mentalidad antioqueña una concepción clara sobre la noción social del "espacio público". Esta circunstancia debe ser vista con gran preocupación por las autoridades. El desafío es grande y va a requerir los mejores talentos al frente de una cirugía de extraordinaria complejidad en los años que siguen.

La fábrica de **Café La Bastilla** comenzó con éxito a forjar su historia desde 1910. Historia grande que se ha escrito con logros obtenidos día a día, tal como se consiguen y consolidan las buenas cosas. **Café La Bastilla** es símbolo de la tradición cafetera, dentro de un público exigente en café que sólo consume los mejores. **Café La Bastilla**, siempre bueno hasta la última gota.

Junin x la Playa.

Avenida izquierda
de La Playa, donde
se alzaban bellas
quintas de diferentes
estilos, a lado y lado
de la quebrada
de Santa Elena
y que partía la ciudad
en dos barrios
antes de llegar al río.
(Fotografías de Gonzalo
Escovar, 1909).

Panorámica
de Medellín
tomada desde
la torre derecha
de la actual Catedral
Metropolitana (1930).
La otra fotografía
—realizada por Gonzalo
Escovar en 1910—
corresponde a la Carrera
Junín, antes conocida
como Calle
de Villanueva.
Al fondo, el Parque
de Bolívar
y la Catedral.

Muchos de los habitantes
de la capital antioqueña
siguen teniendo el centro
como sitio de reunión
o de trabajo. Los jubilados
reviven recuerdos
y "arreglan el país"
a la sombra de los árboles
del Parque de Bolívar.
La Calle San Juan (página
opuesta) es una
de las avenidas más antiguas
de Medellín y ha soportado
múltiples ampliaciones.
Gracias a esto hoy es la vía
más larga y rápida que cruza
la ciudad de oriente
a occidente.

El Club Unión —fundado en 1894 y situado en la Carrera Junín— es el centro social más antiguo de Medellín. Sus salones, de gran sobriedad, han sido celosamente conservados y por ellos ha transcurrido buena parte de la historia de la ciudad durante este siglo.

La **Bolsa de Medellín**, fundada
en 1961, queda en el corazón
de la ciudad:
el tradicional Parque de Berrío.
La Bolsa, por medio de sus
firmas comisionistas, además
de prestar sus servicios a los
interesados en adquirir o vender
inversiones en títulos valores
brinda asesoría integral
en negocios bursátiles para
financiar actividades
empresariales, invertir recursos
y capitalizar inversión.

La gran mayoría
del pueblo antioqueño
—crisol de razas—
es descendiente
de andaluces, vascos
y castellanos venidos
de la "Madre Patria".
Muy poco queda
de los nativos indígenas,
casi desaparecidos
ante el avance
conquistador.
En algunos rostros
se vislumbra el aporte
de los esclavos llegados
a trabajar en la minería.
"La Gorda", escultura
de Fernando Botero,
vive en el Parque de Berrío.
Es punto de encuentro,
referencia y orientación
para propios y extraños.

Coltejer, pionera en textiles y en exportación de productos manufacturados, es una de las principales textileras de América Latina. Con 85 años de historia, orienta hacia la calidad total su filosofía de trabajo, y para ello cuenta con un excelente recurso humano, constante modernización tecnológica y expansión de su producción textil.

El edificio Coltejer, construido al comenzar la década de los 70 por la Compañía Colombiana de Tejidos, es un símbolo de la ciudad. En sus 35 pisos funcionan oficinas de diversas empresas. Cuenta con una Sala Múltiple en donde tienen lugar actos académicos y culturales, dos salas de cine y centro comercial.

Dos vistas
del moderno
edificio Argos,
ubicado sobre
la Avenida
Oriental, y que es
una muestra
de la arquitectura
contemporánea
en construcciones
de oficina
en la ciudad.

Entre las construcciones del centro de la ciudad se destaca la sobria y moderna estructura del edificio del Banco Cafetero, Bancafé.

En una vieja casona
del antiguo barrio Prado,
rodeada de jardines,
**Faes —Fundación
Antioqueña para Estudios
Sociales—** desarrolla
una amplia y silenciosa
labor en el campo
cultural, promoviendo
simposios, seminarios,
publicaciones
y custodiando
un valioso patrimonio
documental representado
por los archivos privados
de la región, lo que la ha
convertido en centro
obligado de información
para investigadores
nacionales y extranjeros.
Carrera 45 Nº 59-77.

Varias
generaciones
de habitantes
de Medellín
han paseado,
han comprado
y hasta
se han enamorado
en la Carrera Junín.
Esta vía hace parte
de la historia local.

La antigua
gobernación de
Antioquia,
edificio construido
en 1938 en la
Plazuela Nutibara,
fue restaurada
y convertida en
Palacio
de la Cultura.

El **Hotel Nutibara** es una joya arquitectónica, con estructura antisísmica que la hace más segura y funcional, creada en 1945 con especificaciones americanas en su construcción y europeas en su servicio. Está emplazado en el centro de la ciudad a sólo dos cuadras de la estación del metro. Sin salir del hotel, sus huéspedes encuentran diferentes ambientes para divertirse: casino, discoteca, piscina y zona húmeda, gimnasio, tres restaurantes y bares —Internacional, Típico y Coffee Shop—, establecimientos comerciales propios y, en la torre anexa, 25 locales y un banco. Tiene 234 habitaciones confortables.

La avenida La Playa
es un bello bulevar
que debe su nombre
a la quebrada de Santa
Elena, hoy cubierta,
pero que hasta los años
30 recorría libre esta
céntrica arteria.
Las antiguas quintas
que se alzaban
en sus orillas han sido
reemplazadas
por edificios
de apartamentos,
bancos, clínicas
y oficinas.

La Basílica Metropolitana, cuya construcción se inició con la venida desde Francia del arquitecto Carlos Carré, en 1890, fue inaugurada 41 años más tarde. En lla se usaron 1'120.000 adobes de barro cocido, lo que la hace una de las más grandes del mundo en su género. El baldaquino que cubre su altar principal es una bella cúpula rematada por una cruz y sostenida por cuatro columnas que se asientan en ornamentados pedestales. La obra fue realizada en mármoles italianos de diversos colores.

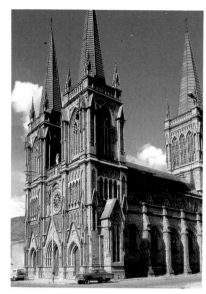

En primer plano, la Catedral, también
llamada de Villanueva por el nombre que
antiguamente llevaba la plaza donde está
enclavada, es de estilo románico con algo
de bizantino. Sus muros tienen un espesor
de dos metros.

Arriba, a la izquierda, el Templo de
Nuestra Señora del Perpetuo Socorro,
es la mejor muestra de arte gótico que
se puede observar en la ciudad.

Abajo, la iglesia consagrada a San José,
en el centro de la ciudad, donde
se conserva un óleo de San Lorenzo,
primer patrono de Medellín, pintado
a mediados del siglo XVII.

La aguja de estilo gótico
pertenece a la que es conocida
como la iglesia de Manrique,
consagrada al Señor
de las Misericordias.
Su constructor fue un hermano
carmelita con conocimientos
de albañilería, venido
de España . El templo
es monumento departamental.
La torre blanca es de la iglesia
que preside el barrio
El Salvador, fundado hace cerca
de un siglo, cuando la Bella
Villa se asentaba sólo en la
ribera oriental del río Medellín.

Los primeros pobladores
de la villa de Medellín dieron
sus aportes para la construcción
de una ermita a la que denominaron
La Veracruz de los Forasteros,
pero el templo nunca se terminó.
En 1791 los extranjeros residentes
en la ciudad decidieron reemprender
la obra, la cual se terminó en 1803.
El maestro Pablo Chávez
fue el encargado de su ornamentación
interior. El altar mayor fue traído
directamente de España.

Durante la Semana Santa, la mayoría de las parroquias católicas realizan procesiones solemnes por las principales calles de la ciudad, a las cuales asisten numerosos fieles.

Arriba, la Avenida La Playa
en el cruce con la Avenida
Oriental, corazón del tráfico
y la vida del centro
de la ciudad.

A la derecha, algunos
edificios de la Avenida
Oriental, vía construida
en la década de los setenta,
que se ha convertido
en una de las arterias
más importantes
del centro de Medellín.
Donde antes existían viejas
casas de bahareque,
hoy se levantan
modernos edificios
y centros comerciales.

Sobre la Avenida
Oriental, el edificio
Vicente Uribe Rendón
sobresale por su línea
arquitectónica
moderna y funcional.
Una escultura
del maestro
Arenas Betancourt
complementa la
fachada.

Una importante entidad
de servicios que impulsa
el desarrollo regional
mediante la ejecución de
programas empresariales,
comerciales y cívicos, es la
**Cámara de Comercio de
Medellín**. Con la creación
de sus centros regionales
del Norte –Aburrá Norte–,
Suroeste y Occidente,
cubre gran parte del
territorio antioqueño y
cumple la función pública
de llevar el registro
mercantil de afiliados y
matriculados. La entidad
ocupa lugar preponderante
en el contexto nacional.

Las ventas
de frutas,
las tertulias
callejeras
y las mujeres
bellas
forman parte
de la imagen
amable
de Medellín.

La Beneficencia de Antioquia

es esencia de la ciudad y de sus gentes.
Es vaso comunicante entre la salud,
el arte y la antioqueñidad.
Hace parte de esa historia coqueta
de la belleza artística de los antioqueños.
Su edificio sede está ligado a los
maestros Rodrigo Arenas Betancur
y Ramón Vásquez. Para cumplir la labor
humanitaria, comercializa diferentes
loterías y apuestas y de ésta manera
invierte con orgullo en la salud pública
de Antioquia.

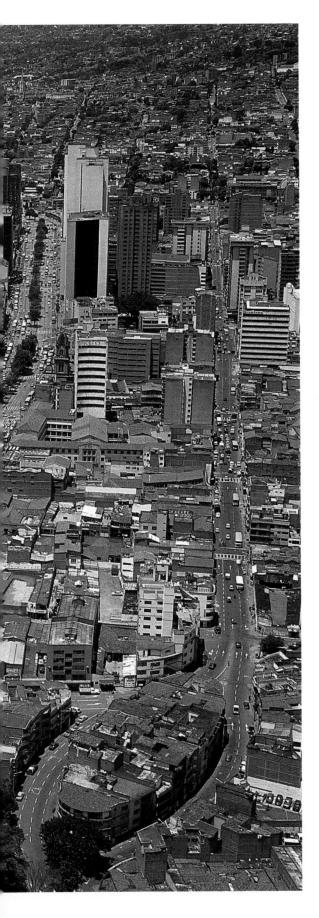

En un lote del centro de la
ciudad fue construido el Parque
San Antonio como nueva
alternativa de recreación para
las gentes de Medellín.
El Parque es más bien una plaza
y está adornado con tres
esculturas del pintor y escultor
antioqueño Fernando Botero.

Este parque
se hizo durante
la administración
del alcalde Luis
Alfredo Ramos, y su
financiación fue
posible por la
venta de locales
comerciales
construidos en
la salida de la plaza.

La Alpujarra es sede
de los gobiernos
municipal
y departamental.
Allí están también
el Palacio Nacional
en donde despacha
la rama judicial
y el edificio
de las Empresas
Departamentales
de Antioquia —EDA—.
En las páginas siguientes
se observa una vista aérea
del Centro Administrativo
y sus alrededores.

Recinto del Concejo
de Medellín. Un
espacio armónico,
funcional y bello,
dentro del cual se
desarrollan las
deliberaciones del
cuerpo legislativo de la
ciudad. Está ubicado
en el Palacio
Municipal que hace
parte del Centro
Administrativo de La
Alpujarra.

ASAMBLEA DEPARTAMENTAL

Una inmensa
escultura
a la raza antioqueña,
obra del maestro
Rodrigo Arenas
Betancur, ocupa
la plazoleta central
de La Alpujarra.

Los muros de la vieja Plaza de mercado de Guayaquil están decorados con foto-murales que muestran escenas del Medellín antiguo.

De orden del gobernador Abraham García se inicia en 1893 la construcción del Parque de Berrío, en el lugar que ocupaba la llamada plaza principal y que desde siempre ha sido corazón de la ciudad. El parque está situado precisamente en el centro geográfico de la villa, Calle 50 con Carrera 50 y ha sufrido varias remodelaciones en su siglo de vida. En una de sus esquinas, la que muestra la foto superior derecha, se yergue orgullosa esta escultura, del maestro Rodrigo Arenas Betancur, que forma parte del conjunto arquitectónico del edificio del Banco Popular. Abajo, estatua ecuestre del Libertador que se colocó en el Parque de Bolívar en 1923. Fue elaborada por el escultor Eugenio Maccagnani, quien copió el motivo de una obra del italiano Giovanni Anderlini.

MEDELLÍN NERVIO Y CORAZÓN DE ANTIOQUIA

Gilberto Echeverri Mejía

. . . .

Medellín, concreción y expresión del pueblo antioqueño, lo refleja en sus problemas, dificultades, carencias, contradicciones, esperanzas y posibilidades.

Ciudad más de tres veces centenaria, es el resultado de un proceso de aluvión que arrojó sobre ella, en determinado momento —cuando empezó a agotarse el potencial de unos suelos pobres— todos los anhelos de superación de una comunidad esforzada y emprendedora que veía cerrarse otros caminos.

Encerrada entre montañas, carente de buenas comunicaciones —"Sin carreteras, las ideas no viajan", solía argumentar Jesús Tobón Quintero, uno de los adalides de la carretera al mar de Urabá— Antioquia se aisló casi por espacio de un siglo. Se concentró en la minería, en áreas quebradas e inhóspitas. En esta actividad, según la síntesis del profesor Diego Tobón Arbeláez, adquirió lo que él llamaba "la aptitud para asumir riesgos", un presupuesto indispensable para encarar, una vez adquirido cierto grado de capitalización, la aventura industrial.

El buen clima que no existía ni en las minas ni en "los pueblos" levantados en torno a ellas, abundaba en Medellín y atrajo a los mineros que habían hecho pequeñas fortunas en la periferia y explicablemente querían disfrutarlas en un ambiente mejor. El que había "hecho plata" en el pueblo quería o educar a sus hijos en Medellín o "venirse con la familia" en busca de mejores aires. La ciudad empezó, entonces, a actuar como esponja y a chuparse lo mejor del departamento. Así fue ejerciendo inescapable atracción sobre la gente de la provincia, y detrás de ellas se vinieron los ahorros generados en las minas, en el café, en la ganadería, en el comercio pueblerino.

Primero se venían los muchachos a estudiar, después se quedaban a ejercer y no regresaban y tras ellos se producía el desplazamiento de los padres, hermanos y parientes. En lugar de producirse la retroalimentación —el retorno de los profesionales a la aldea— de la ciudad a las poblaciones, la provincia se fue apagando y con lo mejor de ella se amplió y se consolidó la ciudad amable, bonita, industrial. La metrópoli, en fin. Medellín era el norte, el polo de atracción. Como lo que importaba era "venir a Medellín", se fue erigiendo una curiosa estructura radial de comunicaciones con el único objeto de converger hacia la capital, lo cual creó situaciones tan absurdas como la que se produce para ir de Valparaíso a Jardín; en helicóptero, cruzando la montaña, se va en siete minutos, por carretera, para ir de una población a otra, hay que venir a Medellín y emplear entre seis y siete horas.

Esa estructura centralista construyó un bello Medellín, pero le marcó con un cáncer que lo llevó a la crisis de los años 80, con una secuela de 25.000 muertos, y un éxodo de su clase dirigente, de la cual se dice que en esa década pasó el desierto y el Mar Rojo. ¡Consecuencias de un equivocado modelo de desarrollo, expresado en un crecimiento macrocefálico y en la anemia del resto del organismo!

Pero las crisis enseñan. O, como dice el refrán popular —"aquél en que el pueblo suele hablar a su vecino"— "no se aprende sino a palos". Antioquia hizo un alto en el camino. Su gente fue obligada a pensar, y aprendió, mirando hacia atrás. Vieron la importancia del apoyo a las regiones. La necesidad de buscarles vida propia. Y empezaron a llevarles el alma de la inteligencia, que es la universidad, con modelos diferentes, autónomos y propios. Se suspendió la migración hacia la capital. Los campesinos empezaron a entender que venirse a ella era caer en una trampa mortal.

Gracias a este viraje, que apenas comienza, Antioquia empieza a consolidar su vocación como departamento de regiones. Hoy, Urabá, su más cierta posibilidad de renovación; suroeste, occidente, nordeste, Magdalena Medio, oriente cercano y lejano, configuran regiones con criterio propio, con vocación de provincias que quieren ser autosuficientes: con profesionales y ejecutivos a su servicio. Se está configurando así, tal vez con alguna lentitud pero con firmeza, una nueva concepción que conducirá a la reducción de desequilibrios y a la armonía del departamento.

Medellín también ha recapacitado. Sabe que es la ciudad más bella de Colombia. Que cuenta con gente inteligente, capaz y dinámica. Que su estructura de servicios es la mejor de América Latina, aunque no puede expandirse ilimitadamente. Sus trece universidades, los establecimientos educativos especializados, los centros de investigación biológica y de alta tecnología médica, constituyen patrimonio de Colombia y de América.

Pero la urbe ambiciosa ha comprendido que no puede seguir creciendo indefinidamente. Sus ciudadanos son conscientes de que ser segundos en población no es lo fundamental, han comprendido, y ojalá así lo entendieran todas las otras ciudades colombianas, que lo más importante es ser los primeros en seguridad, en paz, en calidad de vida y en generación de empleo.

¿Para qué las avenidas más espectaculares si no se puede transitar por ellas por temor al próximo atraco o asalto? ¿Qué nos ganamos con poseer obras monumentales que asombren en determinada área, si en la otra pululan los asentamientos subnormales? Si algo ha hecho crisis en esta explosión de la urbanización es el esquema de dos ciudades dentro de una, en la cual la primera dispone de todo y la otra no tiene nada. Por eso, y como gran lección, el Medellín del fin del siglo tendrá que ser una ciudad sensiblemente igual a la actual, pero mejorada por dentro y por fuera. Con una comunidad más solidaria, con sentido del colombianismo integral y con una concepción del desenvolvimiento económico totalmente renovada y renovadora. Posiblemente su industria no se incremente: pero su capacidad de servicios, su estructura educativa, su forma de manejar su entorno científico y cultural, la convertirán en una ciudad más técnica pero indudablemente muchísimo más humana. Lograrlo es su reto, su obligación y la garantía de su futuro.

El metro de Medellín, primer sistema de transporte masivo existente en Colombia, ha entrado a solucionar los problemas de movilización colectiva de la ciudad. A través de viaductos se deplaza al centro, y corre a nivel del suelo en algunas de las zonas más apartadas de la capital antioqueña.

El tren metropolitano del Valle de Aburrá atraviesa la ciudad de Medellín y algunas de sus localidades vecinas con dos líneas: una que va de norte a sur y otra desde el Parque San Antonio hacia el occidente.

A mediados de los
años ochenta se inició
la construcción del
metro de Medellín,
que comunica
a la capital con los
municipios vecinos.

EMPRESAS PÚBLICAS DE MEDELLÍN

Modelo en la Prestación de Servicios

¿Cuál sería el ejemplo ideal para atrapar en una sola imagen lo que el espíritu paisa significa? Quizás sirva pensar en un carriel recién terciado entre hombro y espalda para salir a trabajar al amanecer, o tal vez en las palabras de un hombre jovial y enérgico que apenas si puede lograr que la letra *s* no se le convierta en un avispero cuando dice más de una frase.

pero al dejar de lado las muestras coloquiales, hay un ejemplo que sobresale: las Empresas Públicas de Medellín (EE.PP.M.). Allí se encuentran condensados la visión y el tesón de los antioqueños en la difícil tarea de ofrecer un servicio público con calidad y sentido social.

Eficiencia administrativa y tecnología adecuada bien aplicadas han consolidado a esta entidad municipal como la primera de Colombia y como modelo para Latinoamérica, hasta el punto de que su cumplimiento en el pago de los compromisos financieros y su cobertura le mantienen siempre abiertas las puertas de los organismos de crédito internacional y nacional.

Con cuarenta años de vida autónoma, la empresa puede acreditar los más altos índices de cubrimiento, mantenimiento y reparación de los servicios básicos de energía, gas, acueducto, alcantarillado y telecomunicaciones. Y es poseedora de una serie invaluable de obras de infraestructura, construidas en su totalidad sin recibir un solo peso de la nación.

Energía de sobra

Mientras que el tema de la energía nunca volverá a ser asunto de chiste en Colombia, las Empresas Públicas de Medellín la generan para 120 de los 124 municipios de Antioquia, sin contar con que su cubrimiento alcanza el ciento por ciento en el área urbana y un 95% en la rural. En otras palabras, tiene los índices más altos del país respecto de las principales ciudades.

Para llevar el servicio hasta los usuarios, la entidad cuenta con diez centrales hodroeléctricas, 1.576 kiló-

metros de líneas de transmisión y 32 subestaciones de transformación. Además, como buenos paisas, no todo se les va en gastar: la empresa ejerce el liderazgo en la recuperación de pérdidas de energía en Colombia, con un indice del 19,1%.

Cada uno de los puntos recuperados equivale a 59 millones de kilovatios-hora, energía que es superior a la que consume en un mes la zona noroccidental del departamento (desde Santafé de Antioquia hasta Urabá) y el Chocó. En total los 1,4 puntos recuperados (82,6 millones de kilovatios-hora) pueden equiparse a la energía consumida durante cuatro días en el Valle de Aburrá. Adicionalmente, EE.PP.M. fue la primera entidad de su género en el país en institucionalizar un programa de uso racional de energía.

De esa manera y con la construcción de Porce II —que estará listo en 1999— y la contratación de los diseños del proyecto hidroeléctrico Nechí, las Empresas Públicas de Medellín se adelantan de manera visionaria al futuro.

Sólo restaría agregar el nuevo servicio que prestará de manera masiva al Valle de Aburrá: gas por red. Los primeros usuarios del sistema por tubería serán conectados a finales de 1997.

Agua pura

En cuanto al agua, los paisas parecen repetir con creces lo logrado con la energía. Normas de potabilización más rigurosas que las establecidas por los organismos de salud nacionales e internacionales, hacen del preciado líquido suministrado por las Empresas Públicas de Medellín uno de los mejor calidad en el continente.

Así lo puede atestiguar el 98,4% de la población urbana asentada en sus siete municipios de influencia. En 1999 la empresa espera tener un cubrimiento del 99,3%. Cada segundo, EE.PP.M. entrega a sus usuarios 8.700 litros de agua, y cada día 751 millones de litros, provenientes de tres embalses o fuentes de abastecimiento.

Para optimizar la eficiencia y oportunidad del sistema, opera el Centro de Control Acueducto.

desde el cual se maneja, por medio de computadores, toda el área de influencia del servicio. Allí se recopila la información de los equipos instalados en las diferentes estaciones. Por su calidad y tecnología y la complejidad de sus procedimientos, el Centro es único en Colombia.

Saneamiento

De acuerdo con una línea de acción coherente, los antioqueños han adquirido el compromiso de sanear el río Medellín. Llevará tiempo pero, a diferencia de otros sectores del país, ya han pasado de las palabras a la acción. Hasta 1999, EE.PP.M. invertirá casi US$200 millones en el Programa de Saneamiento del Río Medellín, incluyendo la construcción de la planta San Fernando, primera de las cuatro programas para el tratamiento de las aguas residuales en el Valle de Aburrá.

Telecomunicaciones

Como hablar es uno de los deportes preferidos de los antioqueños, la telefonía ha sido otro de los sectores de mayor desarrollo en la región. El servicio llega a 668.700 suscriptores en 18 municipios. Cuenta con 785.000 líneas, una cobertura de 70,12% y una densidad de 27,15 líneas por cada 100 habitantes. Y como si esto no fuera suficiente, el sistema cuenta con 8.690 teléfonos públicos.
En la actualidad, Empresas Públicas de Medellín presta también otros servicios de telecomunicaciones asociados a los sistemas de telefonía básica, radiocomunicaciones, valor agregado y telemáticos, como la telefonía móvil, Red Digital de Servicios Integrados, videoconferencia, *trunking* busca personas, transmisión de datos, correo de voz, servicios especiales, telefonía rural y radiocomunicaciones, entre otros. También presta el servicio de telefonía celular por medio de Occel, como socia que es de Antioquia Celular, ANCEL.

Inversión social

Tecnología, cobertura, primeros puestos... Todos esos términos tan bien utilizados por las Em-

presas Públicas de Medellín no son más que la fachada de una realidad más profunda: su interés por el ser humano, por la inversión en la comunidad.

Durante los últimos cinco años los municipios localizados en la zona de influencia de sus actuales y futuros desarrollos hidroeléctricos se han beneficiado con carreteras, puentes, infraestructura de servicios públicos básicos, sedes educativas, culturales y comunitarias; pavimentación de vías, suministro y transporte de materiales y maquinaria, dotación de espacios locativos, creación de fuentes de empleo, obras de explanación, protección y drenaje, realización de actividades forestales, labores de veeduría, asesoría e interventoría, entre otras.

Todo esto sin descuidar el medio circundante, ejecutando labores de reforestación, mantenimiento de bosques naturales alrededor de sus embalses (abiertos también a la recreación de la comunidad a manera de parques ecológicos), controlando la erosión y realizando estudios de recuperación e impacto ambiental.

Edificio EE.PP.M.

Con tanto quehacer, la entidad no podía quedarse atrás en el desarrollo de su propio lugar de trabajo. Por eso comenzó en 1992 la construcción de su sede central. Será una de las más grandes de Latinoamérica, con un área construida y diseñada de 124.000 metros cuadrados.

Integrará cuatro características fundamentales: innovación, alta tecnología, sobriedad y funcionalidad. En suma, será un edificio "inteligente", es decir, vinculará elementos de concepción arquitectónica, aspectos organizativos, comunicaciones y automatización, para propiciar la eficacia y la funcionalidad y facilitar la operación y el mantenimiento. Por sus características estructurales, dejará abiertas hacia el futuro todas las posibilidades arquitectónicas y de ingeniería que le propongan los nuevos tiempos.

Las Empresas Públicas de Medellín
generan energía para 120
de los 124 municipios de
Antioquia, es decir el ciento
por ciento en áreas urbanas
y 95 por ciento en el campo.
Además, en recuperación
de pérdidas de energía
son líderes en Colombia.

Centrales Niquía y La Tasajera.
Embalses El Peñol, Guatapé
y Riogrande II.

Cada año la capital
antioqueña se viste
de luces y colores en la
época decembrina,
gracias a las Empresas
Públicas de Medellín.

Los municipios localizados en la zona de influencia de los actuales y futuros desarrollos hidroeléctricos de las **Empresas Públicas de Medellín,** se han beneficiado con diversas obras de infraestructura. A la derecha, el sifón que alimenta la planta de potabilización Manantiales.

El servicio telefónico de las **Empresas Públicas de Medellín** tiene una densidad de más de 27 líneas por cada cien habitantes. La entidad se prepara para prestar los servicios de larga distancia nacional e internacional.

Normas de
potabilidad
rigurosas hacen
del agua
suministrada
por la Empresas
Públicas de
Medellín, una
de las de mejor
calidad del
continente.

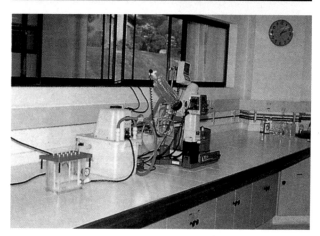

La sede central
de las **Empresas
Públicas de
Medellín** es una
de las más
modernas y de las
más grandes de
América Latina en
área construida.
Estará lista en
1996.

Empresas Públicas de Medellín, entidad autónoma fundada en 1955, acredita hoy los índices más altos de cubrimiento, mantenimiento y reparación de los servicios básicos de energía, acueducto, alcantarillado y telecomunicaciones.

En la cima del Cerro Nutibara se encuentra el Pueblito Paisa, réplica de un típico poblado antioqueño. Allí pueden visitarse la iglesia doctrinera, la barbería, la botica, una casa de familia pueblerina de principios de siglo, el granero, entre otras. El pueblito cuenta con fonda, restaurante y la mejor vista de la ciudad. El campanario de la iglesia domina sobre el alero de la casa solariega, en donde las plantas dan frescura y sombrío al balcón enchambranado. Muchos vendedores ofrecen allí su colorida mercancía al público visitante. El cerro también cuenta con algunas esculturas de artistas nacionales, como la del maestro antioqueño José Horacio Betancourt.

Panorámicas
de Medellín
que muestran:
en la página opuesta,
en primer plano,
el centro de la ciudad;
en la foto superior,
se destacan el viaducto
del tren metropolitano
y la Ciudad
Universitaria.

A la central mayorista
llegan desde todo el país
productos agrícolas
que abastecen a la ciudad.
Esto la convierte en el más
importante centro
de recopilación y distribución
de alimentos del Valle
de Aburrá. Coteros
o bulteadores son los
encargados de cargar
y descargar los camiones
y las chivas que transportan
la comida. Estas últimas
son muestras rodantes
del arte popular.
Un nombre sonoro
y una decoración vistosa
son indispensables en ellos.
Estos vehículos de carrocería
de madera son también
el medio de transporte
público a muchos municipios
del departamento.

Mientras unos
regatean los precios
de los alimentos,
otros transportan
infinidad de cosas
en anticuados
vehículos de tracción
animal. Materiales
para la construcción
y escombros
son lo que más
movilizan estos carros
de bestia o "zorras".

Le compro, le vendo,
le cambio, le encimo…
cualquier negocio
es válido en estos
informalísimos negocios,
que se concentran
en los alrededores
del Parque de Berrío.
Son tantos y tan
pintorescos que la zona
ya tiene nombre,
se le denomina
El Cambalache
y es un *sui generis*
centro comercial.
Página opuesta, otras
ventas callejeras,
comenzando por la arepa,
que es el pan
de los antioqueños.
Hay distintas variedades
de acuerdo con el maíz
que se utilice
en su elaboración.
También tienen gran
consumo las mazorcas
asadas. Otros se dedican
a ofrecer a los transeúntes
artículos para el hogar.

Aunque Medellín es conocida como
ciudad industrial, lo es también
comercial. En sus calles proliferan
desde elegantes y modernos centros
comerciales, pasando por las
tradicionales tiendas de abarrotes,
hasta llegar a las ventas ambulantes
que, algunas veces, pueden molestar
al peatón, pero casi siempre
son pintorescas. Es muy fácil
encontrar en las calles la fruta
en cosecha, la flor de la temporada
y el último juguete que ha salido
al mercado en Hong Kong.

La Terminal Norte
de Transporte Terrestre
fue inaugurada en
1984. Integra los
servicios de ferrocarril,
buses, taxis y tren
metropolitano.
A ella llega todo
el transporte público
intermunicipal
y nacional proveniente
del norte de la ciudad.

En 1995 se
puso en
servicio la
Terminal Sur
de Transporte
de la ciudad,
a la cual llegan
buses y taxis
nacionales e
intermunicipales
del sur del
Valle de Aburrá.

El río Medellín ,
que atraviesa la
ciudad de sur
a norte, se ha
convertido en el eje
vial de la urbe. Por
sus riberas cruzan
importantes
avenidas, y el metro
recorre buena parte
de su trayecto.

La actividad pecuaria y ganadera tiene gran preeminencia en Antioquia. La Feria de Ganados de Medellín es la principal del país. En ella se negocian semanalmente cientos de reses. La importancia de la ganadería en Antioquia viene desde finales del siglo XIX, cuando don Luciano Restrepo mandó a traer de Estados Unidos dos toritos y dos novillas "ojalá preñadas" de la mejor raza productora de leche. Le enviaron ejemplares de la raza Holstein. Luego fueron introducidas al departamento muchas otras razas extranjeras, que vinieron a mejorar la calidad del ganado criollo. Por otra parte, en la Feria Equina, que se celebra anualmente, salen al ruedo magníficos ejemplares, especialmente los del conocido Paso Colombiano.

En el Centro de Exposiciones
y Convenciones, todos los meses se
realizan certámenes de diversa índole.
Entre los más importantes se destacan
Colombiatex y Colombiamoda,
manifestaciones del carácter de capital
de la moda.

Más de 20 años de experiencia han hecho de **Aluzia** una empresa líder en el diseño y la confección de correas y otros accesorios de cuero. Por eso, un cinturón Aluzia tiene el sello de belleza, elegancia y calidad que lo hace inconfundible. Aluzia extiende ahora su mercado más allá de las fronteras colombianas en su nuevo almacén del Mall San Pedro, de San José (Costa Rica). Sus puntos de venta de Colombia están situados en Bogotá, Medellín, Cali y Armenia.**Aluzia:**manos colombianas que trabajan con amor las pieles de Colombia.

Ragged y Phax son sinónimos de diversidad y creatividad en el diseño. La óptima calidad de sus prendas informales y vestidos de baño, sumada a la esmerada atención en sus puntos de venta, ha logrado colocarla entre las marcas preferidas por la juventud. Ragged y Phax son reconocidos entre los mejores confeccionistas del país.

Medellín cuenta
con dos aeropuertos.
El Olaya Herrera,
situado en el área
metropolitana, antes
aeropuerto principal,
está hoy dedicado
a la aviación regional,
que se atiende con aviones
pequeños.

La amabilidad y el excelente servicio que caracteriza a la **Sociedad Aeronáutica de Medellín Consolidada S.A. SAM**, la ha situado como la segunda aerolínea más importante del país. Con más de 50 años de trayectoria, esta empresa de perfil turístico vuela a varios destinos en Colombia, Centroamérica y el Caribe, en sus modernos aviones RJ100. Cada uno de los colaboradores de la aerolínea se siente altamente comprometido con sus pasajeros, para cumplir así con su slogan: "Sam hace amigos volando".

Tampa, Transportes Aéreos Mercantiles Panamericanos S.A., es una empresa orgullosamente antioqueña cuyos orígenes se remontan a 1973. Ha contribuido al desarrollo económico no sólo de Antioquia sino de todo el país transportando su comercio de exportación e importación hacia y desde cualquier parte del mundo por sus rutas de Nueva York, Miami, San Juan de Puerto Rico, Caracas, Panamá, Quito, Guayaquil y Lima. A lo largo de sus 23 años de operación, cada día ha renovado su compromiso fundamental de servicio, ética y responsabilidad social.

El aeropuerto
José María Córdova
en el municipio
de Rionegro, fue
inaugurado en 1985.
Desde allí se atiende
el tráfico nacional
e internacional
de Medellín. El terminal,
de forma semicircular,
está coronado
por una inmensa
cúpula transparente
que cubre las áreas
de servicios,
comerciales
y de espera
del aeropuerto.

Arriba, El Sol,
obra del maestro
Edgar Negret,
está colocada frente
al terminal del José
María Córdova.
Abajo, Las Cometas,
de la artista
Clemencia
Echeverri,
en la glorieta
de ingreso
al aeropuerto.

En el verde valle de Sajonia, del oriente antioqueño, donde florecen orquídeas, begonias y azaleas, está situado el bello **Hotel Las Lomas Forum**. Muy cerca de Medellín y a sólo 700 metros del aeropuerto internacional José María Córdova, este elegante, tranquilo y acogedor hotel es especial para la realización de congresos y convenciones e ideal para hacer un turismo diferente, el ecológico, gracias al ambiente natural y los espectaculares paisajes que lo rodean.

El Parque Ecológico de Piedras Blancas es una hermosa reserva forestal administrada por **Comfenalco**. Este oasis de aire puro y serenidad está localizado en predios del municipio de Guarne, a sólo 17 kilómetros de Medellín por la vía a Santa Elena. Es un pequeño y privilegiado espacio lleno de naturaleza, donde se puede disfrutar de una experiencia enriquecedora para el cuerpo y el espíritu.

La vegetación ofrece diversidad de formas y figuras, y es de admirar la belleza de aves multicolores y animales que hoy en día resulta difícil encontrar en otros sitios. El Parque Ecológico de Piedras Blancas tiene 18 hectáreas de bosques naturales con senderos señalizados para el libre y seguro desplazamiento de los visitantes y toda una infraestructura turística y recreativa para una placentera estadía.

Se llama
el Tequendamita
y es otro de los paseos
que pueden hacerse
a la región del oriente.
Además de apreciar
la belleza de la caída
natural de agua,
se puede disfrutar
de la comida
de la región
y su paisaje.

A 2.500 metros sobre el nivel del mar y a sólo unos minutos del aeropuerto José María Córdova se encuentra la **Hostería Llanogrande**, establecimiento acondicionado con todas las comodidades para llevar a cabo reuniones ejecutivas y convenciones. Aire puro, tranquilidad y amplias y bien dotadas áreas recreativas son algunas de las ventajas que ofrece a sus visitantes.

En el Valle de
Ríonegro-La Ceja,
en el oriente de
Medellín,
se encuentra la
represa de La Fe en
cuyas riberas tienen
casas de campo
algunos habitantes
de la ciudad.

El 3 de abril de 1995 el **Hotel Inter-Continental Medellín** celebró sus 25 años reiterando su propósito de brindar mayores comodidades a sus huéspedes. Gracias a la remodelación total de sus habitaciones, restaurantes y demás áreas y a la calidad humana y profesional de sus empleados, este renovado Hotel Inter-Continental mantiene su servicio cinco estrellas.

El Club Inter-Continental Floor, que ocupa el séptimo piso, está dispuesto para satisfacer las necesidades de los altos ejecutivos y personalidades que visitan el hotel: servicio permanente de conserje y valet, dos líneas telefónicas, conexión para computador, fax, sala de reuniones en cada habitación y atención personalizada.

El ladrillo a la vista
es muy utilizado
por los arquitectos
de Medellín. El rojo
del barro contrasta
con el entorno
y con algunos toques
especiales de color.

Desde 1984, Medellín tiene alcalde para las zonas verdes. Se han sembrado anualmente unos 10.000 árboles de especies nativas o adaptadas. La urbe lucha por mantener sus pulmones.

En muchos barrios
de Medellín conviven
estilos diferentes
y caprichosos,
'y arquitecturas
de diversas épocas.
Aquí todavía
se puede disfrutar
de una casa con jardín.

La flamante
arquitectura de
Medellín se
aprecia en
edificios, casas
y conjuntos
residenciales.

El Poblado es la zona de
Medellín de más rápido
desarrollo en las últimas dos
décadas. En su plaza
principal, donde hoy se
encuentra el templo
consagrado a San José, se
fundó en 1616 la población
de San Lorenzo de Aburrá,
que luego se convertiría en
Medellín. Allí tiene lugar
una serie de actividades,
entre ellas mercados
campesinos y retretas los
fines de semana.

Hasta hace dos decenios, El Poblado era un barrio tranquilo, de casas campestres. El crecimiento urbano de la ciudad le cambió rápidamente esa fisonomía y la transformó en zona de edificios modernos para apartamentos y oficinas, que se elevan por entre la vegetación de las antiguas casonas.

En El Poblado
se han ubicado
en los últimos años
muchos de los edificios
sede de empresas
que operan en Medellín.
Un ejemplo
de la moderna
arquitectura
empresarial
es la llamada
"Milla de oro"
sobre la Avenida
El Poblado.

Desde su apertura, el **Hotel Poblado Plaza** permanece a la vanguardia debido a la renovación constante, de su planta física y de su infraestructura tecnológica manteniéndose así a la altura de las exigencias del ejecutivo de hoy y caracterizándose por su ya reconocido servicio personalizado.

Sede principal de la zona Antioquia
del **Banco Superior-Diners Club.**

En estas modernas y bellas oficinas de
El Poblado se centran todas las actividades
del nuevo Banco Superior, institución que
hereda la historia más de 32 años de éxitos
de la tarjeta de crédito Diners. Desde esta
Gerencia Zonal se cubren los departamentos
de Antioquia, Córdoba, Sucre y Chocó.
Además, hay en Medellín tres oficinas que
atienden con igual eficiencia a los socios,
establecimientos afiliados e inversionistas:
las de Caracas, San Diego y Unicentro. Las
dos primeras realizan operación bancaria
y ofrecen la Cuenta Superior, creada como
solución completa a las necesidades
financieras de los clientes.

El guayacán es
uno de los árboles
característicos
de Medellín.
Florece una vez
al año y los hay
de colores amarillo
y rosado. Por una
disposición
del alcalde verde
de la ciudad, árbol
que se tumbe es árbol
que se siembra.

El Poblado sigue
creciendo con
su ambiente
solariego
y elegante.
Sus nuevas
construcciones
llaman la atención
por su estilo cada
vez más moderno.

Colombiana de Diseño lleva diez años ocupando un lugar destacado en el mercado de los muebles de cuero del país. Actualmente importa cueros de Argentina con el objetivo de ofrecer más calidad y estar con las últimas tendencias del mercado internacional. Coldiseño ha ampliado sus productos con muebles de madera caoba, de bellos acabados, al igual que tapetes y decorativos importados. Cuenta con salas de ventas en Cali, Bogotá y la Zona Rosa de Medellín. Coldiseño se ha distinguido siempre por su alta calidad y hoy es uno de los mayores exportadores de muebles.

En la ciudad hay unas 550 hectáreas de zonas verdes, en su mayor parte arborizadas con especies nativas y árboles frutales como guayabos, mangos y naranjos.

El Hotel Park 10, concebido en el más puro estilo inglés, está situado en el barrio El Poblado a pocos pasos de la Zona Rosa, sector dinámico y floreciente e ideal para ir de compras sin prisa y recrearse en galerías de arte, anticuarios y acogedores cafés y restaurantes. Es un hotel donde la elegancia, la sobriedad y el buen gusto van a la par con la más avanzada tecnología especializada.

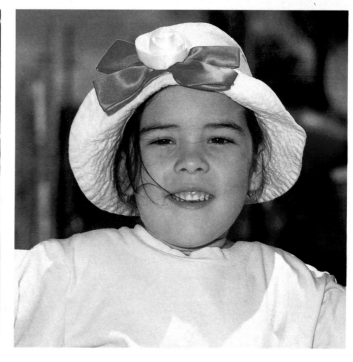

Helados Mimo's se fundó en Medellín en 1971 y desde entonces brinda a sus consumidores la oportunidad de disfrutar gran variedad de productos que ofrecen la dulzura, el colorido y los sabores de las frutas tropicales. La excelente calidad de sus helados, reconocida nacional e internacionalmente, sumada a la calidez de su personal, hacen de Helados Mimo's un punto de encuentro para disfrutar.

Las jóvenes
de Medellín:
modernas,
alegres
y con buena
pinta.

La plaza de toros
de la Macarena data
de la década del 40.
La obra de madera del ruedo
y las puertas son de comino
crespo. Este coso se viste
de gala en los dos primeros
meses del año cuando se celebra
la Feria Taurina de la Candelaria.
Los mejores toreros de América
y España hacen las delicias
de los aficionados a este arte.

El río Medellín atraviesa
la ciudad de sur a norte.
Su orilla occidental entre
las calles San Juan y
Colombia (foto izquierda),
ha tenido un importante
desarrollo urbanístico
cruzado ahora por el metro,
que ofrece así al viajero una
amplia y variada panorámica
con la plaza de toros, el
estadio, el velódromo, el
coliseo cubierto y edificios
residenciales y de oficinas.

Helicol es una organización de servicios aéreos especializados y de actividades afines, que opera a escala nacional e internacional. Su misión constituye una nueva dimensión de servicio a la industria. Despliega sus esfuerzos que en el encuentro permanente con la naturaleza y sus obras, y enfrenta los mayores desafíos que impulsan nuevos aires de progreso.

En el eje geográfico del Valle del Aburrá, **Suramericana de Seguros** ha creado un bello complejo urbanístico con jardines multicolores, arborizados senderos y obras escultóricas. La Casa Central de la Aseguradora está enmarcada por la escultura "La Vida" del maestro Rodrigo Arenas Betancur. También se integra al atrayente paisaje la obra "Estelas" del maestro Hugo Zapata.

Medellín es conocida
como la ciudad de las
flores y la eterna primavera.
La arborización adorna
gran parte de las vías,
y es frecuente encontrar
separadores sembrados
de flores, como éste de la
avenida El Poblado.

Ascensores Andino es la primera compañía de ascensores de Colombia, con una planta propia de más de 8.000 metros cuadrados y una integración de partes del 85 por ciento. Su alta tecnología y su fabricación bajo normas internacionales la posicionan como empresa exportadora, líder nacional, que ha conquistado los mercados de Europa, Asia y América, y principalmente de Tailandia, Kuwait, Arabia Saudita y China.

Las márgenes del río
Medellín han dado
lugar arterias viales
flanqueadas por
teatros, edificios
públicos e importantes
industrias.

Industrias Haceb S. A. es una
empresa antioqueña que se
inició en 1940 con la idea
primordial de reparar electrodomésticos. Más tarde fabricó
parrillas y posicionó su marca
nacionalmente. Se diversificó
luego con una gama amplia de
electrodomésticos y gasodo-
mésticos: parrillas de dos y tres
puestos, estufas o cocinas,
hornos, calentadores de agua y
neveras, todos de primera
calidad. Asimismo está presente
en el mercado con las líneas de
empotrar eléctricas, de gas o
mixtas. Actualmente en sus dos
plantas situadas en la Autopista
Sur y en Copacabana, Haceb
cuenta con un equipo humano
de más de 1.800 empleados.

Circundada por una
arboleda de variadas
especies de la región,
la Autopista Sur corre
paralela al río
Medellín. Sobre esta
vía arteria se hallan
algunas de las más
grandes fábricas de la
ciudad.

Espumas Medellín Ltda, fundada en 1974 y perteneciente al Grupo Espumados S.A., es el primer productor de espumas de poliuretano en Colombia. Fabrica y comercializa espumas de bajas y altas densidades para las industrias de muebles, calzado, textiles y marroquinería. Actualmente posee la mayor infraestructura de América Latina para la elaboración de espuma, un excelente recurso humano y la más avanzada tecnología. Su filosofía está orientada hacia productos y servicios de elevada calidad, precios competitivos y entregas oportunas.

La Clínica Las Vegas se creó en 1992, y su misión es prestar un servicio humano ético y digno. Valiéndose de la más alta tecnología médica y con rigor científico, más de 200 profesionales de la salud prestan sus servicios en todas las especialidades médicas. La Clínica ofrece consulta externa, cirugía de alta tecnología con rayos láser, video-laparoscopia y video-endoscopia, ayudas diagnósticas con su laboratorio clínico y sus departamentos de radiología y patología, y hospitalización en cómodas y elegantes habitaciones. Cuenta además con modernas y bien dotadas unidades de cuidados intensivos y con expertos en cirugía cardiovascular.

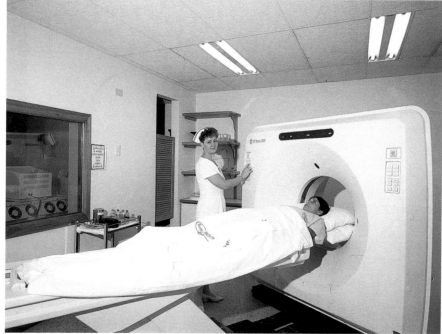

LA VOCACIÓN TURÍSTICA DE MEDELLÍN

Humberto López López

L a primera pregunta que un antioqueño le hace a la persona que llega a Medellín es: "¿Y cuán do te vas"?   No hay ofensa ni ánimo de que se vaya. Sencillamente se quiere saber de cuán to tiempo dispone el visitante para poderlo aten der con solvencia.

Pocas cosas enorgullecen tanto a un antioqueño como que se visite a Medellín. En cada uno existe una "queridura" para que quien llega a la capital de Antioquia no se sienta extraño ni forastero.

El clima primaveral, el imponente espectáculo de las montañas verdes que acunan la ciudad, la organización de su tráfico mejorado sustancialmente con la puesta en marcha del metro, la excepcional calidad de sus servicios públicos (agua, teléfono, energía) y esa sensación de que todo el mundo siente gusto trabajando, convierten a Medellín en un destino turístico de muy alta recordación.

Negocios

La capital de Antioquia es centro de negocios muy reputado. Allí está la sede de la Asociación Nacional de Industriales y funciona una de las mejores Bolsas de Valores del país. Se le conoce como centro de decisiones en materia de textiles, tabaco, oro, café, banano, cemento. El empresario *paisa* es serio, toma riesgos, ama el trabajo, honra su palabra, es cumplido en sus compromisos. Por eso las misiones empresariales que llegan a Colombia encuentran en Medellín un clima de alta conveniencia para los negocios. La ciudad dispone de un excelente sistema bancario y su Lonja de Propiedad Raíz es una de las más avanzadas.

La oferta hotelera para los hombres de negocios es de primera calidad. A los hoteles Nutibara, Intercontinental y Poblado Plaza se han sumado en el último año el Portón de Oviedo, el Park 10 y el Bellort. Están próximos a inaugurarse el Forte y el Dann. En Rionegro se encuentra el Hotel Las Lomas, perteneciente a la cadena Forum Intercontinental. Todos tienen servicios que responden a las necesidades del hombre de negocios, excelentes comunicaciones, recintos para reuniones, informalización, publicaciones especializadas en economía e indicadores económicos.

Congresos

Las dieciocho universidades que operan en Medellín, la presencia de profesionales de turismo especializado en congresos y la vocación de la ciudad para el análisis de los grandes temas, han hecho de la capital de Antioquia la ciudad ideal para convenciones. Hay un banco de Talentos que le permite disponer de los mejores conferenciantes sobre los temas más diversos. Por su ubicación equidistante de las demás ciudades del país, en Medellín los congresops cuentan con muy buena presencia de participantes, pues se abaratan los costos aéreos. El clima y la racional vida nocturna de la ciudad favorecen igualmente el estudio, la disciplina y la alta productividad de las reuniones.

Compras

Esta actividad logra en Medellín, unas ventajas que la vuelven grata y recordable. En primer lugar, quien atiende un almacén siente un inmenso gusto en hacerlo. Es un profesional que prefiere hacer clientes que hacer una venta. No se ofende por el regateo del precio, ni tampoco porque se aplace la decisión de comprar. La alegría de atender se nota desde la puerta. Si no se tiene lo que el cliente busca, no hay enojo en señalar dónde lo puede encontrar.

Centros Comerciales como San Diego, Oviedo, Unicentro, Camino Real, Villanueva, Monterrey, Almacentro, o puntos de fábrica como Everfit, Tejicóndor, Grulla, o el Centro Nacional de la Moda en Itagüí y el Centro de Lámparas de Envigado, o el Centro Internacional del Mueble, forman un enjambre de ofertas para compras en las cuales la calidad, el precio y el diseño constituyen fortalezas del comercio de Medellín.

Entre las calles Ayacucho y Caracas y las carreras La Oriental y Carabobo hay por lo menos dos kilómetros de pasajes llenos de almacenes. Son 150 almacenes, y uno puede recorrer el centro urbano de Medellín por entre esos pasajes de techo cubierto.

Salud

Pocas ciudades como Medellín tienen un historial tan importante en el campo de los trasplantes. Los centros de salud de la capital *paisa* han acumulado una experiencia científica ampliamente reconocida en el país y en el exterior. Por eso desde las islas del Caribe, de Centroamérica y de los países andinos acuden a sus clínicas y hospitales.

La cardiovascular, el Hospital Pablo Tobón Uribe, catalogado como el de más alta atención, la Clínica Medellín con la tecnología más avanzada, el hospital general Luz Castro de Gutiérrez, la Clínica Soma, el hospital Universitario San Vicente de Paúl, las muy recientemente abiertas Clínica Las Vegas y Las Américas. La Clínica de Otorrinolaringología, constituyen una importante opción de salud atendida por un cuerpo médico respetado en los países más avanzados. Estos servicios de salud ofrecen una gran ventaja:

calidad unida a precio.

En Medellín tiene su asiento la Corporación de Trasplantes, la cual administra el Banco de Organos obtenidos en todo el país y conservados en el mayor estado mediante tecnología especial.

Festejos

En agosto hace Medellín su Feria de las Flores, la cual culmina con uno de los espectáculos más impresionantes que puedan observarse: el desfile de silleteros. Más de mil campesinos portan sobre sus espaldas, silletas cargadas de flores. Es un deleite cromático para ecologistas y fotógrafos.

En diciembre la ciudad de cubre de luz. En enero y febrero hay temporada de toros, con las mejores figuras españolas y colombianas. Durante fines de semana la ciudad se convierte en un centro taurino muy importante. Cada mes, el primer sábado, hay Mercado de Sanalejo en el Parque de Bolívar, similar al Mercado de San Telmo de Buenos Aires, al de las Pulgas de París, al del Rastro en Madrid o al del Angel en México.

¡Que destino!

Medellín dispone de dos aeropuertos de excelentes condiciones: el Olaya Herrera, en toda la mitad de la ciudad, para vuelos regionales, y el internacional en el vecino municipio de Rionegro (a 40 minutos), que se llama José María Córdoba.

Igualmente es la única ciudad que dispone de dos terminales de transporte terrestre: en el norte está el más antiguo, y en el sur, junto al estadio Olaya Herrera, el más reciente. El metro une las dos terminales. Este moderno sistema de transporte masivo fue inaugurado el 30 de noviembre de 1995 y tiene dos ramales: el *A* que une los municipios de Bello, Medellín, Envigado, Itagüí y Sabaneta en dirección norte-sur y viceversa; el *B,* que va al occidente de la ciudad.

La vida cultural de Medellín es intensa: hay cinco teatros en permanente temporada; una filarmónica con coros polifónicos de alta calidad; y tres gigantescos teatros (Metropolitan, Universidad de Medellín y Pablo Tobón Uribe) para todo tipo de espectáculos.

Que vuelva pronto

En la Zona de El Poblado se disfruta de la enriquecedora gastronomía paisa, así como de la internacional, en por lo menos 30 restaurantes de categoría. En la Carrera 70 hay una zona de diversión igualmente interesante.

La Zona Rosa de Medellín está alrededor de la Calle 10 con El Poblado.

Cuando el paisa lleva al visitante al aeropuerto, dos cosas le dice en la despedida: "Que Dios lo lleve con bien" y "Vuelva pronto".

Realmente en Medellín le profesan gratitud a quien los visita. Saben que es la mejor forma de mostrar todas las bondades de su ciudad y de su raza.

Medellín dio un paso adelante en salud con la moderna **Ciudadela Médica y Comercial Las Américas**, Localizada en el suroccidente de la ciudad. Cerca de 400 profesionales de 50 especialidades de la salud brindan atención en consulta externa, diagnóstico, hospitalización, cirugía y urgencias. Integran este complejo una clínica con la última tecnología médica, una imponente torre con 126 consultorios y un completo centro comercial, todos con amplias áreas de parqueo, pasajes peatonales y zonas verdes. Su infraestructura física y logística y un calificado equipo humano médico– científico, responden fielmente a su concepto integral de servicios de salud.

En terrenos
circundantes del
aeropuerto
Olaya Herrera se
han levantado
notables
construcciones
de vivienda y de
entidades de
servicios.

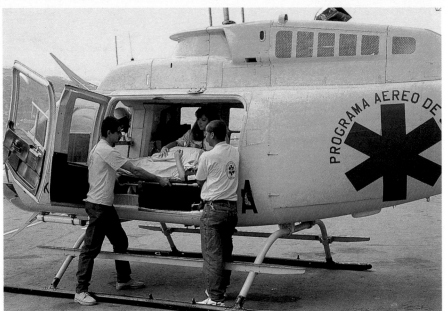

El Gobierno Departamental, por medio de la Dirección Seccional de Salud de Antioquia y con apoyo interinstitucional, desarrolla el Programa Aéreo de Salud (P.A.S.) como una estrategia que permite la ampliación de los servicios de salud a un número importante de comunidades rurales.

Tutti-Frutti S.A. es una empresa que lidera en Colombia la fabricación y comercialización de jugos y refrescos naturales, elaborados bajo el más estricto control de calidad. Desde los inicios de la compañía, en la década de 1950, los productos Tutti-Frutti gozan de gran aceptación en la región, y ahora han entrado con fuerza en el mercado nacional.

Para celebrar el primer centenario de la independencia de Antioquia en 1913, la Sociedad de Mejoras Públicas de Medellín plantó un bosque, al que denominó Bosque de la Independencia. Su utilización inicial fue como campo deportivo. Allí se efectuó el primer partido organizado de fútbol. En 1969 el Bosque se convirtió en Jardín Botánico Joaquín Antonio Uribe. El Jardín Botánico cuenta con una amplia muestra de las principales plantas y árboles que existen en Colombia, un hermoso lago, vivero, biblioteca botánica, herbario, auditorio y el sin igual orquideorama.

En las noches,
la buena música
y la tertulia
con los amigos
se dan cita
en los muchos bares
y tabernas situados
en todos los puntos
cardinales
de la ciudad,
donde al calor
de unos aguardientes,
trago típico
por excelencia,
acompañados
de "pasantes"
—trocitos de mango,
coco, uchuva,
naranja y tomate
de árbol—,
se comparte
el tiempo libre.

El suroccidente del Valle del Aburrá gira alrededor de las empresas que impusieron un estilo de trabajo que ha identificado al *paisa* de empuje, iniciativa y creatividad. Una de ellas es **Cervunión —Cervecería Unión S. A.—**, primera industria de la región en producción, distribución y ventas de cervezas y maltas. Además ha entrado con gran fuerza en el mercado de las bebidas gaseosas. Cervunión ha sido una compañía bandera del apoyo incondicional a certámenes deportivos y cívicos en todo el departamento. Se la considera un verdadero orgullo   antioqueño.

Hace 23 años, un grupo de pujantes antioqueños creó el **Centro Comercial San Diego,** el primero de Colombia. Hoy se halla convertido en patrimonio de la ciudad y ha generado una nueva cultura comercial con repercusiones en todo el país. Seguridad, variedad, comodidad, aire libre, vegetación y calidad de los productos son los conceptos impuestos por el centro comercial.

Desde su inauguración, **San Diego** ha emprendido dos grandes proyectos de ampliación. Con el último, conocido como la III Etapa de San Diego, a partir del primer semestre de 1996 completa 200 locales comerciales y de servicio, 2 restaurantes formales y zona de comidas, 1.400 parqueaderos y 112 oficinas.

Unicentro se encuentra en el corazón del occidente de Medellín, sobre la Avenida Bolivariana y en la confluencia de la Avenida Nutibara, la Avenida 33 y la Carrera 65, lo cual facilita el acceso. Su arquitectura es funcional y moderna. Posee generosas áreas de circulación y descanso y está adornado con finos acabados, fuentes, luz y vegetación naturales. Cuenta con 1.138 parqueaderos cubiertos y vigilados, circuito cerrado de televisión, zonas de recreación para niños, 2 teatros, 20 oficinas, 14 entidades financieras, 15 locales de comidas rápidas y restaurantes, un gran supermercado y 200 locales comerciales, que forman una especie de ciudadela que es sinónimo de modernismo, amabilidad y encanto. En Unicentro el visitante puede encontrar infinidad de productos de excelente calidad y, lo más importante, una especial atención.

En uno de los sectores
de más desarrollo
comercial, la Avenida
Bolivariana,
encontramos a
Unicentro.
El aprovechamiento
de la luz natural a través
de sus domos vidriados
lo hacen una ciudadela
comercial única y
diferente. Su belleza,
elegancia y sobriedad
arquitectónica
permitieron lograr un
diseño que combinara
la armonía entre lo
clásico y lo
moderno. Realmente
Medellín necesitaba a
Unicentro.

Hermosa vista
aérea de uno de los
numerosos
intercambios viales,
el que se encuentra
entre El Poblado y
la Autopista Sur.

Papel preponderante en la historia económica de Antioquia en el siglo XX ha tenido la **Fábrica de Licores de Antioquia**, creada por la Ordenanza número 38 del 28 de abril de 1919. En 1920 comenzó la producción de aguardiente y ron, que desde ese entonces son bandera de la **FLA**, cuya oferta se completa hoy con ginebra, vodka, crema de café y de menta y cordial de manzana. Por su eficiente sistema de producción y la calidad de sus licores, la Fábrica de Licores de Antioquia ocupa el primer lugar entre las licoreras del país.

El *Colombiano*, "un periódico de todos y para todos", está considerado el primer diario regional del país. A lo largo de su historia, la cual se remonta a 1912, se ha constituido en vocero de una de las regiones geográficas más densas e importantes de la nación, como lo es el departamento de Antioquia.

El Colombiano lidera servicios de información mediante un recurso humano muy calificado y avanzada tecnología, para ofrecer así un periódico ágil, moderno y objetivo.

Medellín no sólo
es famoso
por sus centros
comerciales sino,
también, por el gran
número de negocios
ubicados en el centro
de la ciudad.
Hay allí, por lo menos,
dos kilómetros
de pasajes comerciales
llenos de almacenes,
con una amplia
y muy variada oferta
de productos
a precios asequibles.

En el corazón de Medellín, Avenida Oriental con La Playa, el **Centro Comercial Camino Real** ofrece lo que usted desea encontrar: variedad, buen gusto, diseños exclusivos y precios especiales. Allí se puede comprar con tranquilidad, comodidad y seguridad.

Antigüedades
auténticas y objetos
viejos con valor
sentimental
y ornamental
se venden en muchos
establecimientos.
Dicen los que saben
que se consiguen
buenos precios.

En varios eventos
se dan cita artistas,
artesanos, anticuarios
y otros a ofrecer
sus productos.
Se destacan
el Mercado
de San Alejo
en el Parque
de Bolívar
y el mercado
de Arte del Museo
El Castillo.
Muy concurridos
son, también,
el mercado
de los dulces
y el Bazarte,
evento que se
celebra anualmente.

Comerse un raspado, disfrutar de una jugosa fruta, deleitarse con el autóctono guarapo o hacer que un periquito adivinador le prediga lo que le espera en asuntos de amor, dinero, o salud, son algunas de las cosas que se pueden hacer en los espacios públicos, especialmente los fines de semana.

Extrovertida,
jovial, amable,
hospitalaria.
Así es la mujer
antioqueña, cuya
belleza ha sido
alabada
en diversas
formas
por escritores,
pintores,
compositores
y poetas.

Medellín es conocida
como "La ciudad
de las flores".
Una orquídea,
la catleya,
es su símbolo.
Anualmente,
en agosto, se celebra
la Feria de las Flores,
que comprende fiestas
populares y reinado.
El evento culmina
con el famoso Desfile
de Silleteros.

El silletero ha sido una tradición en la historia de Medellín. Eran hombres y mujeres que bajaban con cajones (silletas) cargadas de flores desde el vecino corregimiento de Santa Elena, para vender su producto en la ciudad. A pesar de que esta bella costumbre ha desaparecido, a ellos se les rinde un homenaje cada año, en el mes de agosto, con el Desfile de Silleteros, en el cual participan las familias de quienes llevaban a cabo esta tarea.

El Desfile de Silleteros
es una convocatoria a
toda la familia. En él
participan hombres,
mujeres y niños, que
ramo por ramo y color
por color llenan de
flores las silletas que
habrán de llevar
orgullosos sobre sus
espaldas.

Entre 400 y 500 campesinos participan en el Desfile de Silleteros, evento que ya tiene 35 años y que se ha convertido en un principal atractivo turístico de Medellín.

Las silletas pueden ser
emblemáticas, todo un arte
en el que las flores
reemplazan a los pinceles,
o monumentales, aquellas
que pesan varios kilos y
para cuya elaboración se
requieren millares de flores
multicolores.
El público premia con su
asistencia el esfuerzo de
los campesinos.

A CULTURA EN MEDELLÍN

Juan Luis Mejía Arango
. . . .

n 1825, la pequeña aldea de nueve mil habitantes que se asentaba en el bucólico Valle de Aburrá, vio alterada su rutina de siglos por algunos hechos que indicaban su rompimiento definitivo con el pasado colonial.

Uno de los sucesos memorables en ese año, fue la llegada de los instrumentos enviados por el barón de Humboldt, a olicitud de comerciantes de la plaza, con el fin de rear una escuela-museo de mineralogía, institución ncaminada a capacitar obreros en las modernas ecnologías que reemplazarían los vetustos sistemas spañoles de extracción del oro.

Otro suceso importante de ese año y directamen- e relacionado con el anterior, fue la presencia de los rimeros mineros extranjeros, quienes a lomo de arguero arriban a la pequeña población. Los cono- imientos de estos técnicos se irán irrigando lenta- nente en la población, generando un proceso inte- ectual que tendrá profundas repercusiones en la conomía y la cultura de la región.

Para fortuna nuestra, muchos de los extranjeros lejaron maravillosos libros de viajes, gracias a los uales podemos reconstruir la vida cotidiana de la poca, marcada por la rutina y la carencia de lo que oy llamamos vida cultural.

Fuera de las fiestas populares, que incluían bai- es, sainetes y corridas de toros, parece que el teatro ra el género preferido para matar el tedio de las ranquilas noches de la "bella villa". Como no había ocal donde hacer las representaciones, éstas se imitaban a lecturas en voz alta, efectuadas por ontertulios que asumían los distintos papeles de la bra. En sus *Memorias*, Boussingault nos recuerda na de aquellas veladas: "Se tomaba chocolate y se umaba, casi sin interrupción, hasta las 11 ó 12 de la noche. Cuando el humo se despejaba, leíamos en voz alta las comedias de Moratín y tuve gran éxito en el papel de soldado, el asistente de un oficial muy bien representado por Walker; si no me equivoco era la pieza titulada *El sí de las niñas*".

Gracias a un ameno libro de crónicas titulado *Apuntes para la Historia del Teatro de Medellín y Vejeces*, escrito por don Eladio Gónima, podemos reconstruir la actividad teatral de la ciudad desde 1830. La historia se inicia con la fundación de una compañía dramática, la cual, carente de escenarios, decide cons- truir uno en el patio del colegio. Sobre el tablado se colocó un decorado que, en palabras de Gónima, "era primitivo: una sábana colorada de telón, y sábanas blancas con más o menos manchas que decían sala, jardín y cárcel. Se creía que en la tragedia clásica no podía haber más decoraciones". Los hombres de pie y las mujeres sentadas en palcos ubicados en la galería alta, asistieron al estreno del teatro con la representa- ción de *Jaira* de Voltaire.

Se desprende de la lectura de los numerosos perió- dicos que circularon en la ciudad durante el siglo XIX, que el teatro formaba parte esencial de la vida cultural y cada periódico incluía, en medio de la catarata de información política, la crítica teatral. La llegada y permanencia —a veces de varios meses debido a los conflictos militares— de las compañías de teatro pro- venientes de la capital o del extranjero, se constituían en el suceso que movilizaba a la población.

Otra actividad profusamente reseñada era la lle- gada de maromeros, acróbatas, cubileteros, compa- ñías de equitación y aeronautas que efectuaban arries- gadas ascensiones en globos de tela. En 1840 la novedad la constituyó un elefante que exhibió una compañía norteamericana, y por muchos años fue recordado un prestidigitador francés llamado Mr. Robert, extraño personaje que, al final de sus días, trasmitió todos los conocimientos a su sobrino, el famoso mago Houdin.

Según nos cuenta García Márquez en *El general en su laberinto*, un italiano llamado Antonio Meucci, pintó al Libertador "entre las flores salvajes y el jolgorio de los pájaros" del patio de la casa del marqués de Valdehoyos. En julio de 1831, poco tiempo después de retratar a Bolívar, aparece un pequeño recuadro en *El Constitucional Antioqueño* que textualmente dice: "Aviso. El Sr. don Antonio Meuci (sic) natural de Roma, pintor y retratista, recién llegado de Cartagena, ofrece su servicio a este respetable público de Medellín, ofreciendo hacer retratos en miniatura y de otros diferentes modos…". Parece que la obra que más admiración despertó entre la ciudadanía fue el telón de boca del teatro que, según palabras de Gónima: "Era tal la ilusión que al mirar ese telón sentía uno el fresco de la madrugada. Don Fermín Isaza, el mejor pintor que hemos tenido, perdía el habla cuando miraba esa obra de arte".

Isaza es uno de esos personajes olvidados por la historia, que debe rescatarse. Participó en las primeras actividades teatrales, estudió violín y luego se marchó a Bogotá donde primero fue alumno y después profesor de la Sociedad de Dibujo y Pintura de Luis García Hevia. En 1848 abrió el primer gabinete de daguerrotipia que existió en Medellín, oficio que compartía con sus clases de dibujo y pintura. En la convulsionada década de los 50 fue activo agitador de las ideas de los artesanos.

En este punto es importante resaltar el hecho de que los llamados artistas, en el siglo XIX, hacían parte del gremio de los artesanos. Por ejemplo, en el cuadro de impuestos provinciales de 1836, encontramos que "Las carpinterías, sastrerías, herrerías, farolerías y fundiciones pagarán dos reales. Los talleres o tiendas de escultura, pintura y cohetería, tres reales. Cada representación teatral cuatro pesos. Cada maroma ídem". El proceso artesanal generará una habilidad manual y una capacidad mental para resolver problemas técnicos, que repercutirá unas generaciones adelante, en el desarrollo de la industria y la cultura de Antioquia.

La vida musical empieza a tener preponderancia en la vida social a partir de la década del 30 del pasado siglo. En efecto, los ricos realizan la titánica tarea de importar pianos de cola que son transportados a loma de mula desde el río Magdalena hasta la ciudad. En 1835 se instalan en Medellín los ebanistas norteamericanos David y José Harris, quienes fabrican pianos de alta calidad. En 1838 arribó el señor Eduardo Gregory, el cual, según la crónica, fue el primer profesor de música por "nota" y con sus alumnos formó la Sociedad Filarmónica, que daba conciertos dominicales en las casas de los acaudalados comerciantes. Don Eduardo organizó también la primera banda municipal.

En 1864, el público queda arrebatado con la interpretación que Assunta Mazzetti hizo de "Lucía", opera con la cual abrió temporada la primera compañía italiana que se presentó en Medellín. Su director era don Darío Acchiardi. En 1871, la compañía de José Zafrane presentó la primera zarzuela, género que en el futuro tendría gran aceptación en el público. La crónica de la época es abundante en relatos sobre los amores y suspiros que generaban las divas, sobre fracasos y desintegración de las compañías, de músicos y actores que desertaron y se radicaron en la ciudad, terminando sus vidas ejerciendo las más insólitas actividades.

El comercio del oro había sacado del confinamiento a la pequeña población. Para la década de los 50 era frecuente el trato con extranjeros y mineros y los comerciantes enviaban a sus hijos a estudiar a París. A su regreso, los jóvenes trataban de incorporar a la sociedad las experiencias que habían tenido en el Viejo Continente. Tres de ellos: Vicente Restrepo, Ricardo Rodríguez y Juan Lalinde, en compañía del bogotano Ricardo Wills fundaron en 1865 la Sociedad de Ornato y la Escuela de Artes. En el mismo año, la sociedad organiza la primera exposición artística e industrial. Esta incipiente organización será el germen de la Escuela de Artes y Oficios y de la futura Sociedad de Mejoras Públicas y Ornato. Igualmente cada uno de estos personajes dará impulso determinante a alguna actividad cultural: don Vicente Restrepo fundará, con su hermano Pastor y con don Ricardo Wills, la famosa Fotografía de "Wills y Restrepo" y será también uno de los primeros coleccionistas de piezas precolombinas. El doctor Ricardo Rodríguez enseñará a sus parientes la fotografía y el arte de grabar la piedra. Don Juan Lalinde será director de la Escuela de Artes y Oficios y el primer arquitecto de profesión que tiene la ciudad.

La Escuela de Artes y Oficios, y posteriormente la Escuela de Minas, con sus asignaturas de dibujo técnico, contribuyeron de una manera determinante desarrollo de la pintura en la región, en especial la formación de la escuela de acuarelistas de Antioquia. Hasta ese momento la pintura era ejercida por algunos artesanos calificados, como Leopoldo Carrasquilla, José I. Luna, Jacobo de León y Emiliano Villa, quienes atendían la demanda de retratos familiares y se comprometían a "construir toda clase de decoraciones y adornar casas con frescos y pinturas del mejor gusto posible, así como también ofrecen a los fotógrafos fondos de los paisajes que exijan, con la elegancia y perspectiva que el arte demanda".

En medio de la agitada vida política de los últimos años del siglo XIX, hay una figura respetada y sensible que resume la vida cultural de la época: el doctor Manuel Uribe Angel —médico, historiador, geógrafo, literato y promotor de obras cívicas—, entre las cuales sobresale el Museo y Biblioteca de Zea, hoy Museo de Antioquia. Su *Geografía y Compendio Histórico del Estado de Antioquia en Colombia*, editado en París en 1885, continúa siendo un texto clásico en la materia y es una de las obras pioneras en la valoración de nuestro pasado precolombino.

La comarca prospera y para el fin de siglo su población se acerca a los cincuenta mil habitantes. La actividad artesanal es intensa y atiende la demanda de bienes de consumo de las poblaciones que generó la colonización al sur del departamento. Tres de esos talleres familiares se constituirán en focos culturales con profundas repercusiones en la evolución de la vida cultural de Medellín. Son los talleres familiares de los Carvajales, los Viecos y los Rodríguez.

La familia Carvajal pobló de imágenes de santos todos los templos parroquiales de Antioquia y Caldas. La noble profesión de imaginero la ejercieron con dignidad Alvaro, Constantino y Rómulo Carvajal, hasta que su oficio fue desplazado por las espantosas imágenes de yeso que empezaron a moldear en serie fabricantes españoles. La tradición cultural la mantiene viva el magnífico fotógrafo que es don Gabriel Carvajal.

Del taller de carpintería y ebanistería de don Camilo Vieco, saldría buena parte de la historia de la escultura, la pintura, la música popular, el grabado, la tipografía, la fabricación y afinación de instrumentos musicales. Cuando se repasa la cultura del siglo XX en Medellín, es necesario recordar a Luis Eduardo, Bernardo, Gabriel, Alfonso, Roberto y Carlos Vieco Ortiz. Ca-da uno de ellos, a su vez,

constituye un núcleo cultural que se prolonga hasta nuestros días.

En el taller de marmolería de don Melitón Rodríguez Roldán, sus hijos fundaron la fotografía "Rodríguez", activa actualmente, y cuyo archivo recoge la historia de la ciudad en el último siglo. En aquel taller Francisco A. Cano, junto con Horacio M. Rodríguez y Rafael Mesa, se iniciaron en el arte de grabar el metal; de allí surgió la primera revista ilustrada impresa en el medio: *El Repertorio*. Posteriormente Horacio se dedicó a la arquitectura en compañía de sus hijos Nel y Martín, quienes dejaron una huella indeleble en la historia urbana de Medellín.

Es importante resaltar la figura de Carlos E. Restrepo en la vida cultural de fines de siglo. El futuro presidente fue promotor de Casino Literario y de la Sociedad de Mejoras Públicas; en unión de Rafael Uribe Uribe logró el viaje de Francisco A. Cano a París para que culminara sus estudios de pintura. Además fue librero y editor de varias revistas literarias.

El Casino Literario era una especie de tertulia que exigía como requisito para pertenecer a ella, una composición inédita. Así, para ajustarse a los estatutos del círculo, don Tomás Carrasquilla escribió (o "farulló", según sus palabras) el cuento "Simón el Mago". Y luego, para poner fin a una polémica sobre si en Antioquia había o no materia novelable, escribió *Frutos de mi Tierra*, su primera novela, compuesta en "la quietud arcádica de mi parroquia". Eran los comienzos de un vigoroso movimiento literario que contaría con narradores como Efe Gómez y Francisco de Paula Rendón.

La producción literaria tenía salida mediante revistas dedicadas al tema literario como *El Repertorio*, *El Montañez*, *Alpha* y *La Miscelánea*. Aún hoy sorprende la calidad literaria y el diseño "art nouveau" de los doce números de *Lectura y Arte*, revista publicada entre 1903 y 1906 por Francisco A. Cano y Marco Tobón Mejía.

Otra de las obras importantes que promovió Carlos E. Restrepo fue la Sociedad de Mejoras Públicas y Ornato, entidad de carácter cívico, que como muchas de su clase, lideró importantes obras en favor de la ciudad, como la arborización de los nuevos barrios, la publicación de obras para promover la ciudad en el exterior, la creación del Instituto de Bellas Artes, y para conmemorar el centenario de la independencia del departamento, la siembra de un inmenso bosque cercano al casco urbano y que recordaba aquella hermosa costumbre republicana de plantar "los árboles de la libertad".

En Guanteros, el barrio de los artesanos, en las noches de bohemia, la canción surgía espontánea de labios de músicos populares que encontraron en el bambuco, importado de la capital por Pelón Santamaría, la forma adecuada de expresar sus desamores. Los más disciplinados de estos músicos estudiaban "nota" en la academia Santa Cecilia que dirigía el maestro Arriola, respetado músico que echó raíces luego de desertar de una de tantas compañías que visitaron la ciudad. Una mañana, mientras en la Academia ensayaba la Lira Antioqueña, una pareja de gringos quedó sorprendida al escuchar las bellas melodías que surgían de las cuerdas de los ejecutantes. Habían sido enviados por la Casa Columbia en busca de talentos que alimentaran la incipiente industria fonográfica. A los pocos días la Lira Antioqueña grababa sus acordes en los estudios de la disquera en Nueva York.

Mientras los comerciantes pasaban los días tratando de llenar sus bolsillos, en los cafés que rodeaban la plaza —La Bastilla, El Blumen, El Chantecler—, los bohemios desocupaban los suyos en largas jornadas de versos, música y áspero aguardiente. En el café El Globo un grupo de muchachos se constituía en la vanguardia artística al romper con los cánones parroquiales, tratando de asimilar las corrientes europeas de pensamiento. En 1915, el grupo encabezado por León de Greiff y al que pertenecieron, entre otros, Ricardo Rendón y Fernando González, empezó a publicar una pequeña revista llamada *Panida* de la cual alcanzaron a salir diez números. La síntesis del grupo la hace de Greiff en aquellos versos que dicen:

Músicos, rapsodas, prosistas,
poetas, poetas, poetas,
pintores, caricaturistas,
eruditos, nimios estetas;
románticos o clasistas,
y decadentes si os parece;
pero eso sí, locos y artistas
los panidas éramos trece.

Sucedieron a *Panida* otras dos importantes revistas: *Cyrano* y *Sábado*. La primera de ellas era el medio de difusión de la tertulia que se reunía en casa de María Cano y que componían además Luis Tejada, Efe Gómez, Abel Farina, Eladio Vélez y Antonio J. Cano. Los escritos políticos y poemas "demasiado sensuales" escritos por María Eastman, Fita Uribe y la propia

María Cano, desataron no sólo el escándalo sino la pronta reacción de las señoras de "bien" que lanzaron su propia revista: *Letras y Encajes*.

Sábado era una publicación más ambiciosa desde el punto de vista editorial, muy semejante a *Cromos* y *El Gráfico*. Estaba profusamente ilustrada con fotograbados y dibujos de Rendón, Pepe Mexía, José Posada, Vieco y los hermanos Restrepo Rivera, quienes, mediante de ilustraciones y caricaturas, incorporan al arte colombiano elementos de cubismo y el movimiento *DADÁ*. A propósito, son significativos los artículos que en la revista publica Adelfa Arango Jaramillo sobre las modernas escuelas de pintura, en relación con la exposición de arte francés realizada en las salas del Club Unión de Medellín en noviembre de 1922 y en la cual expusieron, entre otros, León Vouguet, Robert Villar, Alberto Gleize, Francisco Picabia y Paulo Emilio Picasso…

Por esos días el empresario Gonzalo Mejía promovía la construcción del imponente Teatro Junín con capacidad para cinco mil espectadores. Luego de la inauguración, en octubre de 1924, y entusiasmado por el éxito de la película "La tragedia del silencio", del bogotano Arturo Acevedo, Mejía crea la Compañía Filmadora de Medellín, en cuya primera y única producción, "Bajo el cielo antioqueño", actuó toda la burguesía paisa. Veinte años después, otro quijote del cine, Camilo Correa, fundaría Procinal S.A. gran empresa cinematográfica que entraría en quiebra luego del rotundo fracaso de su único largometraje: "Colombia linda".

Los años 30 traen una completa transformación a la antigua aldea de artesanos y comerciantes que ahora tiene pretensiones de ciudad industrial. Las sociedades de artesanos dan paso a los sindicatos. Una cosa era elaborar y vender un objeto, otra vender una parte del tiempo. En la transición del artesano al obrero, Guanteros cede el paso a Guayaquil, nuevo centro de la noche medellinense, en donde empieza a escucharse un aire que los empresarios incluían como relleno en sus discos: el tango. El bambuco campesino es reemplazado por la melodía de la urbe. Los recién llegados a la ciudad adoptan como propias las letras que hablan de la soledad del inmigrante europeo en Buenos Aires. Así como Melitón Rodríguez fue el fotógrafo de la pretenciosa aristocracia criolla de principios del siglo, Benjamín de la Calle dejará constancia de la nueva clase social, anónima y digna.

Por esta época tres pintores regresan de Europa. [Ela]dio Vélez trae la luz de los impresionistas; Ignacio [G]ómez la geometría de Cézanne y Pedro Nel Gómez [l]a milenaria técnica del fresco, medio ideal para [s]ocializar el arte, para contar en las paredes la [h]istoria y la mitología de un pueblo. "Estaba necesi[t]ando muros que pintar", decía Pedro Nel mientras [e]jecutaba, entre 1934 y 1938, la serie de murales del [n]uevo edificio de la Alcaldía. El arte había dejado de [s]er decoración y entretenimiento. Ahora era tam[b]ién grito, protesta. Detrás de Pedro Nel vienen Car[l]os Correa y Débora Arango.

Las calles y plazas registradas por los fotógrafos [d]e principio de siglo, silenciosas y casi desiertas, en [l]as placas de Jorge Obando son invadidas de gente. [C]on su cámara Cirkut Estman Kodak, don Jorge [e]ncuentra el medio ideal para registrar al nuevo [p]rotagonista de la fotografía: la muchedumbre. En [s]us inmensas placas de más de un metro de longitud, [ir]á registrando manifestaciones, procesiones, even[t]os deportivos y hasta tragedias como el accidente [e]n el cual perdió la vida Carlos Gardel. Obando fue [e]l fotógrafo de lo colectivo.

En medio de los dramáticos titulares que genera [l]a segunda Guerra Mundial, el diario El Colombiano [p]ublica, entre 1939 y 1944, el suplemento Genera[c]ión, dirigido por Miguel Arbeláez Sarmiento y Otto [M]orales Benítez y en el cual harán sus primeras [in]cursiones Belisario Betancur, Jaime Sanín Echeverri, [E]ddy Torres, Ovidio Rincón y Juan Roca Lemus. Este [g]rupo promoverá el viaje a México de Rodrigo [A]renas Betancur. Unos años más tarde, en 1948, en [e]l mismo diario, saldrán las primeras ilustraciones [d]e un joven pintor llamado Fernando Botero.

Mientras el fantasma de la violencia empieza a [m]ostrar sus colmillos, un nuevo grupo de escritores, [m]ientras discute de política y recita a Barba Jacob, [f]unda la Casa de la Cultura, entidad que pretende [c]rear bibliotecas en todos los barrios de la ciudad. La [b]ohemia se había trasladado al barrio de Lovaina, [d]onde todavía se podía cancelar una noche de amor [c]on un poema de Neruda. Es la generación de [M]anuel Mejía Vallejo, Carlos Castro Saavedra, José [H]oracio Betancur, Arturo Echeverri Mejía, Alberto [A]guirre y Oscar Hernández. La persecución política [d]isgrega al grupo y la Casa de la Cultura se convierte [e]n un sueño frustrado. A partir de 1948, sostiene [A]lberto Aguirre, "la violencia es nuestro tema cen-

tral, es la directriz de la vida colombiana: no es posible eludirla ni en la vida ni en la lite-ratura". Basta leer Fusiles y Luceros de Castro Saavedra, o El Día Señalado, de Mejía Vallejo.

A la euforia que despertó el gobierno de Rojas Pinilla, el anhelo frustrado de lograr la paz política, el cansancio de unos patrones culturales ajenos a la realidad del país, respondió encolerizado un grupo de jóvenes que escandalizó con su actitud a la parroquia: los nadaístas. Liderados por Gonzalo Arango y reunidos en la cafetería de la Clínica Soma (hecho sintomático), lanzaron su manifiesto de guerra contra el statu quo. Sacaron del diccionario las más ofensivas palabras y las arrojaron al rostro de la sociedad. Del terremoto quedan algunos buenos poemas de Eduardo Escobar, Amílkar Osorio, Darío Lemus y la obra de Jaime Jaramillo Escobar, X-504.

En mayo de 1968 –fecha memorable–, se inaugura la primera Bienal de Arte de Coltejer a la que concurre un público desconcertado ante las nuevas propuestas del arte y las minifaldas de las asistentes. Las cinco versiones que se realizaron, a pesar de su alta dosis de snobismo, sirvieron para airear la comarca, para mostrar las nuevas formas de expresión que primaban en el mundo.

La década del 70 encuentra la denominada generación urbana, representada en la plástica por los artistas que expusieron en la muestra denominada Once Artistas Antioqueños: Martha Elena Vélez, Dora Ramírez, John Castles, Hugo Zapata, Humberto Pérez, Javier Restrepo, Rodrigo Callejas, Juan Camilo Uribe, Oscar Jaramillo, Alvaro Marín y Félix Angel. En literatura esta generación está agrupada alrededor del grupo de la revista Acuarimántima: Elkin Restrepo, José Manuel Arango, Helí Ramírez y Víctor Gaviria.

Haciendo un símil, podemos afirmar que hace un siglo Medellín generó una fuerte ola expansiva que promovió la creación de innumerables pueblos circundantes y que a partir de los años 30, esa fuerza se contrajo hasta convertirse en un gran agujero negro que tiende a destruirse en sí mismo. Mucho se ha escrito. Mucho se ha diagnosticado. Lo cierto es que de la gran crisis de los años 80, a más de la indeleble cicatriz de la pesadilla, nos quedan los testimonios de Víctor Gaviria, José Manuel Freydel y de algunos artistas plásticos que han respondido casi visceralmente al extraño remolino de violencia en el cual nos vimos atrapados.

El espacio
público
es aprovechado
para llevar
la cultura
a la calle.
En varios
parques
se puede
disfrutar
de diversas
manifestaciones
artísticas
los fines
de semana.
El público
siempre
responde.

La Orquesta
Sinfónica
de Antioquia
tiene como
sede el Teatro
Metropolitano,
en donde
periódicamente
ofrece conciertos.

Muchos grupos
de teatro
mantienen
una continua
actividad
en la ciudad.
Se presentan
obras clásicas,
modernas,
experimentales,
infantiles
y costumbristas.

El Teatro
Metropolitano
es la sala más
importante
para presentaciones
artísticas. Situado
en inmediaciones
de La Alpujarra,
cuenta con
capacidad para
1.634 espectadores,
tres escenarios
simultáneos y está
dotado de las más
modernas
especificaciones
en su género.

Don Pablo Tobón Uribe dejó parte de su herencia para la construcción de un teatro. Este se hizo realidad y lleva su nombre. Se encuentra al comienzo de la Avenida La Playa. El público de Medellín aprecia los buenos espectáculos culturales.

Medellín también cuenta
con otros escenarios para
representaciones culturales,
como el teatro al aire libre
Carlos Vieco, ubicado
en el Cerro Nutibara,
y el Palacio de Bellas Artes,
este último obra
de la Sociedad de Mejoras
Públicas, cuya construcción,
de estilo republicano,
es obra del arquitecto
Nel Rodríguez. Abrió
sus puertas al público en 1928.

Ahora es posible recorrer la Bella Villa en un lujoso automóvil con todas las comodidades del mundo moderno gracias a **Exsec**, cuyo servicio exclusivo de transporte integral tiene cobertura nacional. Esta empresa pionera en Colombia, además de alquilar automóviles lujosos y confortables con conductores bilingües, teléfono celular y todas las ventajas tecnológicas del momento, cuenta con la cordialidad de sus gentes para brindar servicio personalizado a empresas, ejecutivos y visitantes. Exsec ofrece sus servicios para banquetes, convenciones, matrimonios, citas de negocios, envío de encomiendas, mensajería ejecutiva, equipaje personal a su hotel, residencia o aeropuerto, entre otras alternativas.

Contiguo a la iglesia
de la Veracruz está ubicado
el Museo de Antioquia,
antes denominado Museo
de Zea. Funciona
en la que fuera antigua
Casa de Moneda de Medellín.
Nació en 1875 con la reunión
de dos colecciones
particulares, las del doctor
Manuel Uribe Angel
y el coronel Martín Gómez.

Hoy cuenta con siete salas
de exhibición.
Posee, entre otras cosas,
una importante colección
de obras de artistas
antioqueños. Se destaca
la sala Pedrito Botero,
donada por el maestro
Fernando Botero
para albergar una
selección representativa
de su obra.

El maestro Pedro Nel Gómez
es uno de los principales
representantes de la pintura
antioqueña. En la casa
en donde vivió durante
muchos años funciona
ahora un museo en su memoria.
Allí se conservan acuarelas,
óleos y dibujos, además
de doscientos metros
de pintura al fresco, especialidad
del maestro, en los cuales
se cuenta buena parte
de la historia de Antioquia.

La Biblioteca Pública Piloto y el Museo de Arte Moderno, son otros dos importantes centros culturales. Este último posee una importante colección de obras de artistas colombianos contemporáneos. Cumple, así mismo, una meritoria función didáctica en diversos campos de las artes plásticas, entre ellos el salón Arturo Rabinovich que, anualmente, convoca a los estudiantes de artes. Además de las salas de exposición cuenta con biblioteca y sala de cine.

El primer tren del Ferrocarril de Antioquia rodó entre Medellín y Puerto Berrío en 1914. La antigua Estación Central está en proceso de restauración para convertirse en Museo del Ferrocarril. A la derecha, el monumento a la primera locomotora, levantado en las afueras de La Alpujarra.

Obra del arquitecto
Enrique Olarte,
la Estación
Central
del Ferrocarril
fue punto
de entrada
y salida
de trenes
a Medellín
hasta 1978,
año en el cual
se trasladó
a las afueras
de la ciudad.

Cualquier escenario
es bueno para
un entusiasta
artista callejero.
Y los espectadores
no faltan.
La familia
antioqueña
asiste en masa
a las muchas
representaciones
que se dan
al aire libre.

Por acuerdo
municipal,
todos
los edificios
de Medellín
construidos
de 1973
en adelante
deben tener
una obra
de arte.
Por ese motivo
pueden verse
decenas
de esculturas
y murales
en las zonas
más modernas
de la ciudad.

En medio
de la fuente
que ornamenta
la entrada
del teatro
Pablo Tobón
Uribe se yergue
el monumento
a La Bachué,
mito indígena
aburrá, interpretado
en bronce por
el escultor
José Horacio
Betancur,
y que vemos
sobre estas líneas.
Al frente, una
de las obras
del Parque
de las Esculturas
y el Monumento
al Arriero, forjador
de la grandeza
antioqueña.

La belleza de la mujer
antioqueña ha sido
cantada por muchos.
Rubias, morenas
y trigueñas
se disputan
las miradas
de admiración.
Pero el prototipo
de la paisa
es tez canela, ojos
y cabello oscuros,
cuerpo espigado
y una cierta altivez
que hiciera decir
al poeta "la palma
del desierto
no es tan bonita".

Escultura vegetal
ubicada en el Cerro
Nutibara, arriba.
Y abajo, cascada
donada por la empresa
Enka de Colombia.
Se aprovechó
la gran roca
existente en el lugar
para incrustar
la caja de mármol
a través de la cual
cae el agua.

En 1836 fue fundado el primer centro de educación superior de Antioquia, que se llamó Colegio Académico Provincial del Estado. El gobernador Pedro Justo Berrío le dio el nombre de Universidad de Antioquia en 1871. Este centro docente funcionó hasta 1968 en la Plazuela de San Ignacio, y a partir ,de 1969 se trasladó a un moderno *campus* donde reciben educación cerca de 20.000 estudiantes de 14 facultades 4 institutos y 4 escuelas que componen la Universidad de Antioquia de hoy.

Medellín cuenta
con diez centros
de educación superior
dedicados a impartir
formación no solamente a
jóvenes oriundos de la
ciudad, sino también
del departamento y de otras
regiones de Colombia. En la
foto superior el *campus*
de la Universidad Nacional,
seccional de Antioquia, más
conocida como Escuela
de Minas.

Arriba, el Seminario Conciliar de Medellín sobre la carretera de Las Palmas. Allí se alojó el Papa Juan Pablo II durante su visita a la ciudad en 1986. Al lado, uno de los edificios de la Escuela de Administración y Finanzas, EAFIT, otro centro docente de educación superior.

El cementerio de San Pedro,
al norte de la ciudad, es el más
tradicional camposanto de Medellín,
su construcción se inició en 1842
y tres años más tarde fue bendecido
y comenzó a ser utilizado.
Allí reposan los restos de muchos
personajes tales como los
expresidentes de Colombia Mariano
Ospina Rodríguez, Pedro Nel Ospina
y Carlos E. Restrepo. Intelectuales
como Jorge Isaacs, Tomás
Carrasquilla, Juan de Dios Uribe,
María Cano y Luis López de Mesa.

Bellas esculturas
de motivos religiosos
adornan los mausoleos
del cementerio de San Pedro.
Se destacan, a la izquierda,
el mausoleo de la familia
de don Alejandro Angel;
a la derecha, Las tres
Marías, preciosa obra
de arte funerario; y abajo,
la escultura Dolor
de Madre, colocada
en la tumba de José María
Amador, hijo único
del ilustre ciudadano
e importante hombre
de empresa don Coriolano
Amador, y quien murió
en plena juventud.

A LA EDAD DE 24 AÑOS
SU MADRE
QUE CONFIA EN DIOS CONSOLADOR

La moderna
arquitectura
religiosa tiene
en la capilla
del cementerio
Campos de Paz
uno de sus principales
exponentes.
El camposanto
está localizado
al sur de la ciudad.

Casas señoriales
del barrio Prado,
el cual fue
durante muchos
años la mejor
zona residencial
de Medellín.

En los terrenos de la antigua hacienda Santa Fe, funciona el zoológico de la ciudad. Alberga cerca de 1.400 animales de 230 especies. Allí es posible observar a los animales en un hábitat similar al suyo. También se ha logrado la reproducción en cautiverio de algunos ejemplares en peligro de extinción.

La unidad deportiva Atanasio
Girardot con estadio de fútbol,
coliseo cubierto, diamante de
béisbol, piscina olímpica,
velódromo, cancha de tenis y
otros escenarios para la práctica de
deportes. La ciudad cuenta con dos
equipos profesionales de fútbol: el
Atlético Nacional y el Deportivo
Independiente Medellín.

Carnes Casablanca,
primero en innovaciones
constantes del manejo y la
transformación de la carne
en Medellín mediante
los últimos avances
tecnológicos, ofrece el
más amable servicio y la
mejor calidad a sus
clientes en cada uno de
sus productos.

Versatilidad, confort y optimización de recursos son los conceptos básicos que emplea **Ducón Ltda**. para diseñar un producto acorde con las necesidades del mercado colombiano.

El Sistema Modular para Oficina Abierta SMD de Ducón es un producto antioqueño, asequible para un amplio sector que requiere adecuar sus espacios de manera eficiente y razonable.

La ciudad tiene un clima tropical moderado que favorece la práctica de deportes acuáticos al aire libre tales como natación, nado sincronizado, clavados y esquí. Para el esparcimiento de sus habitantes tiene varias piscinas públicas en algunos de sus parques. Una de las más visitadas, es la piscina de olas del aeroparque Juan Pablo II, contiguo al aeropuerto Olaya Herrera.

Antioquia
es un departamento
de deportistas,
los cuales han
alcanzado diferentes
triunfos en eventos
nacionales e internacionales.
Fuera del fútbol
se destacan el patinaje
y el ciclismo, prácticas
estas últimas que cuentan
con campeones "hechos
en Medellín".

Los deportes
no solamente
tienen acogida
entre quienes
los practican,
sino también entre
quienes siguen
paso a paso
su desarrollo.
En las justas
deportivas
se dan también
cita la moda
y la elegancia.

La ciudad cuenta con varios parques. Quizás el más importante de ellos es el Parque Norte, que ofrece diversión a niños y adultos. Entre sus entretenimientos sobresale la réplica de un antiguo barco de vapor de los que navegaban por el río Magdalena, atracciones mecánicas como la rueda de Chicago, un tobogán gigante y un lago para practicar remo.

244

Uno de los principales
atractivos turísticos de
Medellín es su decoración.
Bajo la dirección de las
Empresas Públicas y con
la colaboración de
compañías y entidades,
la ciudad se llena de colorido
en el mes de diciembre,
creándose así un espectáculo
que alegra.

Medellín

Medellín

■ Founded in 1541, Medellín, because of this population and economic productivity, is Colombia's second most important city. Anchored in a small valley of the central Cordillera of the Andes, the city is surrounded by high mountains wich gives its geography the picturesque quality it is so famous for.

Medellín has an altitude of 1.548 meters above sea level, which provides the city with a semi-tropical climate, a bit of warmth during the day and delighfully fresh evenings. This is one of the reasons for one of its nicknames: "The city of eternal Spring".

The city has always attracted people from throughout the Department of Antoquia and the population has grown tremendously. Over the last few years, the number of inhabitants has surpassed 1.8 million and if the suburbs which make up the metropolitan area are included, the figures top the 2.5 million mark.

The city covers an area of approximately 400 square kilometers and has practically developed all the land of the Valley of Aburrá. The limited amount of space has caused construction to go vertical. Office and apartment buildings are becoming increasingly popular.

Medellín is a city inhabited by people who are amiable, hospitable, and carefree. All of these traits are evident on arrival at one of the airports or on entering this important urban center by road. Medellín is also renown for verdant vegetation which covers the green spaces along the streets and shades many boulevard, broad, modern streets, a bold architectural style, and an ambience that invites everyone to saty awhile.

The Mountain Capital, another of its nicknames, Medellín is a city of hard-working and ambitious people, with a history full of pioneers who broke ground in every possible endeavor. If the city has been bombarded by unfavorable press and difficult times over the last few years, the images that this book offers show that despite its many problems, Medellín is a dynamic city that will not be beaten when faced with adversities. The great majority of the people of Medellín lover their city and work honorably to progress along with their enterprises.

The Editors

Fundada en 1541, es actualmente la segunda ciudad de Colombia por su población y aporte a la economía nacional. Enclavada en un pequeño valle de la cordillera Central en los Andes colombianos, Medellín está rodeada de altas montañas que le dan un carácter pintoresco a su geografía.

Medellín está situada a 1.548 metros sobre el nivel del mar, lo que le permite disfrutar de un clima medio tropical, esto es, un poco de calor durante el día y unas noches por lo general frescas. Por esta razón se le conoce como "Ciudad de la eterna primavera".

Como polo de atracción del departamento de Antioquia, de la cual es capital, la población de Medellín ha crecido bastante durante los últimos años hasta alcanzar 1'800.000 personas en 1992. Con los diez municipios que componen la llamada área metropolitana, la población sube a 2'500.000 personas.

La ciudad cubre un área aproximada de 400 kilómetros cuadrados, que prácticamente han urbanizado el Valle de Aburrá, donde está situada. Lo anterior ha llevado a que el crecimiento urbano se centre básicamente en edificios, dado lo escaso de la tierra urbanizable.

Medellín es una ciudad habitada por gente que se caracteriza por su hospitalidad y alegría, la cual es evidente desde que se llega al aeropuerto o a cualquiera de las entradas de este importante centro urbano. Son también notorias la frondosa vegetación que cubre sus calles y que da sombrío a muchas vías, sus amplias y modernas avenidas, una arquitectura audaz y un ambiente que invita a quedarse.

La Capital de la Montaña, término con el cual se conoce también a Medellín, es una ciudad de gentes trabajadoras y emprendedoras, con una historia cargada de pioneros en todo lo imaginable. Si bien ha tenido una racha de mala prensa en los últimos años, las imágenes que se presentan en las páginas de este libro muestran que a pesar de los problemas, Medellín es una urbe dinámica que no se amilana frente a las dificultades y donde la gran mayoría de sus habitantes quiere su ciudad y trabaja honradamente para sacar adelante su terruño y sus empresas.

LOS EDITORES

ALBUM ON THE SHORES OF THE FUTURE

By Belisario Betancur

"...between mysticism and mischievousness..."
Antonio José Restrepo (ÑITO).

It is like opening a trunk full of memories. Like looking at the pages of a scrapbook, one by one, stopping to stare at the photographs yellowed by the winds of one's mind. The radiant city returns from its ancient napping to recollect the sound of the looms when mule trains and muleteers still had the guts to cross the mountains. The dreamy city through which bands of bohemians wandered singing to the dawn and the moon, is boldly peeking at the future, its song sung by poets who make love and fortitude rhyme. The same faces of old, whose calloused hands brandished the ax to dissolve the colonizers' dream of bringing Balboa's sea closer, are those self same people who save their breath and look forward to defeating the risks of the current adventure.

The suit of clothes is now too small, and the ancient hamlet feels the new tightness. For that reason it searches, its spirit seeks a better atmosphere, as its bard used to say. More ethereal airs, more comfortable robes. The hamlet dreams of high plains. Personalities overflow their frames. The same holds true for the anxieties of contemporary people who are nonetheless the same as those of yesteryear, with the same measured speech, the same song, the same mischievousness as before, and the contrite mysticism of those times. Undaunted they courageously thrust to open the way, clearing the jungle and showing an equal determination to reach the sea, whether on their own land or on their neighbor's. With yesterday's greed to make their way, only now throughout the wide world, of which one of its bards was known to be a citizen.

This book is a compilation those instants. Medellín is at the center of everyone's affections; she is the heart of the land and, at the same time, the motor that propels it. In the air complaints and worries are heard. And one also hears the echoes and cadence of innumerable workshops. Because everything leads to her. The old roads that were widened until they became highways, had to go through her, to look at her. She was raised in a narrow valley so that her very discovery from the latticed windows on the crest would be subtle and chaste for those who espied her. So that every evening indiscreet eyes would follow her through the rumors of her comings and goings. And so that the Gothic incense wafting from the Roman towers of her most important churches, and the Gregorian chants, would reach the heights of her faith in the greatest splendor.

In cozy gatherings today's clean ideals share space with those of yesterday. Everything leads to evocation. And recollection leads towards decision. Don Tomás said, "I will be totally truthful so that no one will believe me". But believe me, this is the radiant city of the people of Antioquia.

A Brief History of Medellín

By Rocío Vélez de Piedrahíta

"I shall be truthful so no one will believe me."
T. Carrasquilla, <u>Hace Tiempos</u>

M In the year 1541, Don Jorge Robledo ordered Jerónimo Luis Tejelo to set out and explore a depression in the cordillera that could be seen from afar. On the 24th of August, with a handful of men, he entered a most beautiful valley with crystalline waters, an ideal climate, and rich vegetation. The natives called it Aburrá; the Spaniards baptized it with the name San Bartolomé.

The first colonizer was Don Gaspar de Rodas. Seduced by the beauty and fertility of the land, he asked the government in Santa Fe for a stretch of terrain "to establish herds of cattle and way stations". The response to his petition was most liberal.

In 1616, Visiting Judge Don Francisco de Herrera y Campuzano created an Indian "reservation" in San Lorenzo de Aburrá. Spaniards, however, were not permitted to live on an Indian reservation, and since where there is no wealth the poor also suffer, the Indians of San Lorenzo slowly drifted away until there were only five left. Considering this state of affairs, a new Visiting Judge ordered that the church be moved to the Aná. This action was met with obstacles because the Ecclesiastic Court of Santa Fe "opposed every improvement attempted in Aburrá", the people of the area decided to erect a church in Aná, worthy of the Brotherhood of Our Lady of the Candelaria.

A few Spaniards, citizens of the city of Antioquia, came to buy land and establish haciendas. Among these was Don Mateo de Castrillón and his daughter, the famous Doña Ana de Castrillón. The valley of Aburrá was her passion. She convinced her first husband, Governor Juan Gómez de Salazar, to abandon the rich mines of Buriticá and a brilliant, comfortable position in Antioquia to join the fight to develop the valley she so dearly loved. Her second husband, Don Francisco Montoya y Salazar, a Basque recently arrived from Spain as the new governor, was her great accomplice in the effort to obtain a royal bull to found the city of Medellín. Juan de Menoyo y Angulo, her third husband, also Basque, an astute adventurer, robed her of all the gold he could lay his hands on and ran off to Spain.

Doña Ana's influence was tremendous. With her powerful family, she consolidated the conquest of the valley of Aburrá. Sisters, in-laws, sons and daughters, nephews and nieces "grabbed definitive hold of their lands and fought for their expansion". "And I am going to be totally frank, without the collaboration of the Castrillón family, the province cannot be governed. That is an axiom".

The citizens of the city of Antioquia started to worry about the competition this tiny village was demonstrating. They presented their case before the Royal Audience declaring that the population was prejudicial to the progress of Aburrá. But the people of the valley thought differently. Starting in 1661, they began proceedings to establish their own seat of government.

For all activities, from filing a mining claim or clearing land, to building a hut or punishing a robber, they had to seek the approval of the authorities in Santa Fe de Antioquia. The highly restricted authority of the local government official meant that he had to travelled leagues over bad roads and if the person in charge was not there he had to hire someone to attend the business at hand. And of course, he also had to pay for the journey and any other expenses incurred. Seat of government was synonymous with autonomy, efficiency, economy.

Two royal orders, ostensibly having no connection to this situation opened the way. The first commanded that all persons dispersed throughout the valley be recognized as residents of the area, an action which united the population. The second charged the governors of Cartagena, Popayán and Antioquia with the conquest of Chocó. Whatever lands they conquered would be added to their governments, however, the expense of the adventure would be paid be each one. Governor don Luis Francisco de Berrío thought that if he obtained permission to raise the Aná to the category of Village he would be able to sell the new village's government posts and with those funds finance the appetizing conquest of Chocó…

He requested permission from the Royal Audience and it was granted. Notice was received in the city of Antioquia and "immediately everything was put into motion to impede the birth of a rival city". They hurriedly called a meeting of the town government and raised an extensive case against the projected town. Nonetheless, the Visiting Judge ordered the governor to proceed.

Authorization arrived when Berrío had already died and it was received by the new governor Don Francisco

Montoya y Salazar, Doña Ana's second husband, who without the slightest delay initiated the sale of future city government posts. Quite a list it was, too, for a diminutive population with only 28 homeowners! Mayor, Mayor of the Holy Brotherhood, two Royal Standard Bearers, Sheriff Major, General Public Treasurer, three Aldermen....Without wasting time, they purchased land for "the country home" and charged master builder Agustín Patiño with the task of planning the town, ordering him to straighten the streets.

Antioquia persisted in its protests and the civil authorities were joined by the clergy: "We ask and beg that (...) suspend the population of said village of Aná...". It was useless. On the one hand the crown had already received the money for the sale of honors and on the other, those who had already paid for their positions demanded that the town be founded. Don Francisco Montoya issued a decree in which he declared the New Township of Our Lady of the Candelaria of the Valley of Aburrá officially incorporated. Since there was no time to be lost, they established a parish church, houses for the town government and jail, patron saints, and they distributed plots of land. The town council was called; bull fights, games, and public celebrations were held.

The 4,000 inhabitants of Antioquia continued their fight. They offered to pay a larger sum, under bond, than that which had already been paid, in exchange for rescinding the edict establishing the township. The nascent township appealed once more and out of their own pockets, the citizens paid an advocate in Madrid to defend their case before the Council of the Indies. The Royal Councilors found in favor of the township placing only one condition on their decision, that for a period "of ten years, no citizen of the city of Antioquia would be allowed to settle in the new township, so as to prevent its depopulation".

Finally, the Royal Edict arrived, signed by Queen Mariana of Austria on the 22nd of November of 1674, naming the Town of Our Lady of the Candelaria of Medellín. When the Royal Edict arrived Don Francisco Montoya y Salazar had already died and Don Miguel de Aguinaga, Governor and Commander General, became the person that history has recognized as the founder of the city. Some bear the burden while others reap the reward.

In Medellín's history, as well as in that of the Department of Antioquia, the arrival of the Visiting Judge Don José Antonio Mon y Velarde in 1785 is a landmark. He observed, he diagnosed, he performed. He named the streets and assigned numbers to the 242 one story houses and the 29 city mansions with balconies. He ordered that the ridge leading to Envigado and Itagüí be improved "even though its cost should be met by those nearby, divided among them as in this present case". Thus he established the first property assessment for improvements, a system that was definitive in city development during the second half of the XX century.

In the eighteenth century, a powerful bourgeois class of businessmen emerged in Aburrá. Commerce and land were their primary interests. On the other hand, they were reluctant to enjoin battles. During the processes that led to national freedom, "in Antioquia they practically did not fight", and in a way, they were able to remove themselves from the effects of the conflict. It became impossible to import goods from Spain, gold exports dropped, and shipping goods within New Granada was very difficult. Despite these limitations, productivity increased per capita, mining with slaves was eradicated, and the labor force that had been released dedicated their efforts to agriculture. They sought agricultural independence, they increased their herds of cattle and augmented their production of sugar loaves. The result, surprisingly, was that at the end of the war for independence, the businessmen from Medellín had done quite well for themselves.

In 1813, Don Juan del Corral, elected dictator for the province of Antioquia, raised the township to a full fledged city. In 1826, it was named capital of Antioquia.

To the social and economic factors favoring progress at the end of the XIX and beginning of the XX centuries, must be added the exceptional administration of Dr. Pedro Justo Berrío. Dr. Berrío concentrated his efforts on education. He started the School of Arts and Professions, favored the creation of a Public Library, passed a Statute for Primary Education by means of which he organized a teaching system that endured for quite a long time and was the finest in the country. He converted the College of Antioquia into a university and created the School of Engineering. He brought professors from Germany to open the Model School and University for Teachers. In 1870 he presided over the board that programmed the construction of the cathedral.

Dr. Pedro Justo Berrío died in 1875 but the momentum was already fully begun. Europeans came to open schools. There were Academies of Medicine, History, and Jurisprudence. The city had a population of 37,237 inhabitants.

A history of Medellín would be incomplete without mentioning the city's Public Works. At the end of the XIX century, street lights were installed with 150 great pumps producing current. Long forgotten was the initial public lighting agreement stating that the four street corners of the central plaza should have a large lamp which would be lit every night except when there was moonlight. In 1895 the Antioquia Electrical Installations Company was formed. Every day the demand for energy grew. In 1955, the structure of the company was fundamentally changed when it was converted into the Autonomous Entity, property of the municipality of Medellín, but with sufficient liberty "to be able to operate with complete agility".

Medellín does not have a navigable waterway nor is it near a coast

nd the surrounding topography has always been a serious obstacle when attempting to lay down roadbeds. uerto Berrío was the name given by rancisco Javier Cisneros, a Cuban ngineer, to the site where he chose to initiate the railroad that would connect the city to the Magdalena River. Work began in 1875, and 39 years ater, in 1914, the rails finally reached Medellín. The problem of La Quebrada ass still needed solving and the solution was provided by engineer lejandro López who conceived "with udacity and technical correctness, ne of the greatest works of civil engineering ever seen in Colombia, the rst and only of its type to have been onstructed until today". The ribbon vas cut in 1929.

The city also had to be connected o the Cauca River and it was Alejandro ngel who proposed to the Ministry of ublic Works that the Amagá Railway e built under the direction of Engineer Camilo C. Restrepo. In February of 911, the President of the Republic, Carlos E. Restrepo came and symbolially laid the first rail of a project that, ecause of the myriad difficulties it resented, would prove a veritable feat.

Communication with the sea and n airport were still needed. In 1919, Guillermo Echavarría Misas called toether a group of Antioquia industrialsts to create the country's first comnercial airline. Throughout his entire ifetime, Gonzalo Mejía fought for a oad that would connect the city to the ea and dreamed of a port on the Gulf f Urabá.

Like mushrooms the industries of Medellín multiplied and prospered, anning out into many areas. There vere several textile mills, tobacco facories, pottery and chinaware, leather goods manufacturers, breweries, natch factories, chocolates, tanneres, wicks for explosive charges, butons, soaps, iron and copper foundies, saddle makers, weaving shops, ombs, ice cream, candles and so on. n 1925, there were 124 manufacturng enterprises in Medellín. That was

when the city was first dubbed the Industrial City of Colombia.

The generalized ambitious rush to accomplish also affected Archbishop Manuel José Cayzedo. He held the first mass in the cathedral when the temple was not yet completed.

The city continued to progress despite the First World War and the drought that devastated the Magdalena River in the 1925 and 1926 and brought the city's and the department's activities to a standstill.

The great crisis hit when the city's population numbered 120,000; at that point, Medellín was the second largest city in the country. It was 1932. Antioquia's income dwindled to nothing, in three years the number of women employed dropped 28%, small industries merged with stronger enterprises to face the hard times. Not permitting the difficult situation to affect them too much, the people of Medellín organized the first Industrial Fair and Exposition.

The crisis gave rise to one of the phenomena that most defeated the city. The weakened factories in other parts of the department closed down, their owners moved to Medellín causing a demographic explosion that became almost smothering. In addition to the number of emigrants must be added the lack of birth control. The city absorbed not only the inhabitants of Antioquia's outlying towns and villages but also their financial resources, becoming the axis of the entire region.

And, unawares, this overabundance corrals, settles, gags and stagnates. New enterprises still emerged, the result of the push these waves of people and resources initially brought, however, "industrialization as an individual effort began to loose its importance".

When it became absolutely mandatory to attract foreign investors to help the enterprises reach the level of technical modernization necessary for competing on the international market, the industrialists of Medellín enclosed their companies in an impenetrable, counter-productive shell of protection. While they aged, the factories became obsolete.

The signs that their industrial leadership had ended went right over their heads. The culminating signal was the cancellation of Medellín's Biannual Art Exhibition when that show had achieved international renown.

As though on the quiet, factors were brewing that brought the city on the one hand the greatest headaches and on the other the capacity to face those problems and vanquish them, assuming once more a vibrant position based on hard work and progress.

The years of "The Violence", generally speaking, the decade of the fifties, brought droves of fugitives from the outlying countryside to Medellín. Honest folk from the country, people well thought of in their home towns, sold their lands and sought refuge in the city. They came with no money, high moral standards, and a tremendous capacity for work. Despite their numbers and their desolation, the city was able to absorb them.

The situation of the seventies was very different. Great waves of immigrants seeking employment, public services, medical attention, or routed by bands of guerrillas and rural isolation started to invade the slopes surrounding the city. These mountainsides were terrain ripe for land slides that would bury them, or drive them crazy with need and anxiety. Another city formed to the north of the original one, which the city government ignored and the old city did not recognize. The level of education declined dangerously, moral values were all but nonexistent, cultural ties to the old villages disappeared. To all of these factors came the 1974-1978 Executive decisions which struck a hard blow to industry and raised unemployment to impossible levels. On top of this erosion of land and life, an unpredictable catastrophe was ultimately let loose. The developed nations of the western hemisphere developed an insatiable, ever increasing hunger for drugs. To satisfy that need, they were willing to pay any price, as we have all witnessed. Over the peaks of the Andes spread a devastating mantle of wealth that razed land, men, values. Plantations, laboratories and distribution centers emerged. A vain attempt to stunt the feverish demand of such a habit bloodied Colombia and its epicenter was Medellín.

It seems strange that many observers, critics, and analysts who have studied the caustic phenomenon that the city experienced have yet to note that one of the first tangible manifestations to announce its approach was an extravagant, bacchanal development of the surrounding farms and ranches. The descendants of Doña Ana de Castrillón could not have overlooked the dazzling vision of luxuriously appointed stables, exotic, imported breeding bulls, cows with swollen utters, magnificent horses, ranches with pet elephants, giraffes, ostriches, hippopotamuses, and peacocks. They paid dearly for their provincial tolerance of this initial show of opulence.

Like big cats that before attacking concentrate their full attention and contract their muscles, the city started to generate its defenses while the disease spread, starting with the necessary infrastructure in all areas of development. In 1984, Medellín inaugurated the Planetarium, Transportation Terminal, a new Farmer's Market, and the "Curva de Rodas" Sanitary Land Fill, a model in Latin America, with a daily capacity for 1,000 tons of garbage from eight neighboring towns and projected to last until 2010. Before the end of 1987, the Metropolitan and Universidad de Medellín Theaters had been completed, each one a seating capacity of 2,000 people, and a new departmental and municipal government complex, La Alpujarra. The Civil Mayor's Office, a political office that began in 1984, with Jorge Molina at the head, undertook the task of planting trees on 550 hectares of city land, creating new green zones for the city, annually planting 10,000 native and adapted species, mostly flowering or fruit bearing trees, such as red cámbulos, pink and yellow guayacan, golden rain, white calistemos, mango and guava trees…

Following their traditional migratory instinct, ever since the thirties the people of Medellín had attempted unsuccessfully to "test the waters" of the inhospitable Urabá region. Now, colonizers rushed forth frenetically. The result has been that now, in the nineties, despite finding itself in the midst of a violent, social and political upheaval of inconceivable proportions, Urabá has become one of the richest regions of the country. From Medellín the nation manages its banana trade.

This is an overview. Quietly, however, while drowning in the daily ratatat-tat of the struggle that has been plastered on the front pages of every national and international newspaper, Medellín against all odds grew culturally. When the crepe draped city called off the International Flower Festival for the first time, many thought the city had given up. As of 1984 a "Plan for Medellín's Cultural Development" was established, approved by the Municipal Council in 1990. This document which sets a precedent in the contemporary history of the city, is an act of unparalleled faith, optimism and decision if one thinks about the moment when it was conceived. It represents the recognition of the human possibilities of this population of two million people and with projection and method it gathers the old city and the new under a single heading. It includes programs for fomenting, conserving and restoring the city's architectural patrimony, a public school for art, theater, dance, public libraries, expressions of" predominating linguistic, symbolic, graphic, plastic manifestations…".

The situation which at the beginning of the eighties appeared to be a dead end, has changed its aspect. In the first instance, hope for recovery has begun to be manifest in an unexpected field, namely, sports. The persevering efforts of coaches and athletes, the possibilities stimulated by 220 plaques, culminated in victory at the XIV National Field Sports Games in Barranquilla in May of 1992.

At the same time, young musicians have started to earn recognition both in their home town as well as abroad, as members of Symphonic and Philharmonic orchestras, in choruses, pop groups and so on. Local theater has acquired strength and prestige. Among the representations of the old guard, in 1990 Manuel Mejía Vallejo was accorded the Rómulo Gallegos Award for the best novel written in Spanish over the past four years.

In the first semester of 1992, Medellín, once more a national textile and clothing manufacturing center, successfully held Colombiatex, the most important textile fair in the country. Once again, the city blossomed in the International Orchid Exposition.

Another aspect, indubitably the most important yet perhaps the least recognized, is that Medellín is a scientific research and development center. Scientific activities are becoming more and more important every day in the life of the city. In this field, the Regional Center of Investigations, the Technological Investigation Center, the Antioquia Faculty for Social Studies —FAES— and the Corporation for Biological Investigations, which in December of 1991 received the Colciencias Prize, among 150 participants as the best group of Colombian researchers are working with scientific rigor, producing excellent results. The 19 titles published by the CIB Editorial Fund are an important national contribution and a valid reason for exporting science.

An advantage when recording modern history is eye witness reporting, however, it lacks perspective in order to adequately judge the consequences and the final trajectory of events. When we have the perspective of time, perhaps history will judge the decade that Medellín lived through during the eighties as 'its most glorious hour' and the arrival of the XXI century as a resounding victory.

MEDELLIN- ESTACIÓN FERRO.

INDUSTRIALIZATION AND THE URBAN DEVELOPMENT

By Edgar Gutiérrez Castro

Medellín's economic history as an urban center is intimately linked to Antioquia's mining tradition during the XVI century. Its peculiar brand of business dynamism was stamped on the "Paisa" spirit by Governor Gaspar de Rodas's "Mining Ordinances", the framework of Antioquia's mining law. As time passed it became clear that these ordinances represented the nucleus of Medellín's capital and industrial progress. Mining forged the impresario mentality in Colonial times. During the first few years of the republic, the mines gave Antioquia the basis for its industrial process, from the end of the XIX century through the first half of the XX century. This strong, weathered mining class of people performed as the leading protagonists in the formidable task of creating capital and enterprises which typify Antioquia's industrial growth in modern times. The toughened mining spirit, its strong inclination toward frugality and the necessarily austere association of capital and daring which has always characterized the life at the mines, planted the seed of what would later constitute Antioquia's industrial crusade.

Medellín grew as an urban center to the rhythm of the department's industrialization. It resigned itself to the role of the natural product of this thrifty, mining, business mentality. In the end, its urban process reflected the vices and virtues of its origins. Hardheadedness, anxiety, insensitivity, a certain amount of egoism, organization and competitive strength are qualities that in the end emerged out of the process. The activity of street vendors known as "mazamorreros" and "zambuillidores" in their uncomplicated environment innoculated Antioquia's upper classes with a dose of simplicity that in a certain way determined the disorderly, slightly anarchic growth of an urban screen with no pretense or refinement. At this point to change the city into a true metropolis fit for all citizens, all families and all of society will be a formidable task.

The capacity to create businesses does not always guarantee the capacity for creating orderly and friendly communities. Unfortunately, the brittle timbre of the people of Antioquia did not tend to form this type of community. Medellín grew without randomly, without much thought toward the beauty of the city or the quality of the community's life. The transition of the late XIX century town into the metropolis of the end of the XX century has not been a carefully planned process, without traumas. The first urban planner of the capital of Antioquia, Don Modesto Molina, was not a virtuoso. In 1874 he began to divide his tremendous holdings in "Buenos Aires" in the most anarchical manner imaginable. For many years, urban growth followed Don Modesto's lead, with not a care nor discipline, with no zoning plans or thoughts about the community. At the beginning of the XX century and just before the Paisa "industrial revolution", Medellín was simply a quiet, peaceful town sheltering some 60,000 inhabitants. It had narrow picturesque streets, its parks were carpeted in thick grass and framed by flowers. Then a few examples of neo-European architectural styl started to appear, such as th Villanueva Cathedral, the Train Station and the University of Antioquia But at the same time, little by little, th pitifully scant but beautiful example of Colonial architecture with whic the city began its life were torn down

With the coming of the railroad i 1914, the laying of the cornerstone fc San Vicente de Paul Hospital, and th creation of the first municipal institu tion for public works, the Telephon Company, Medellín began its transi tion from provincial capital to a mod ern community. In fits and starts th city sought to accommodate a grow ing and ambitious industrial move ment.

From then on the wave of industri alization was overwhelming. Prior t the two world crisis of the teens an late thirties, Medellín had alread proudly established what would be come great industrial enterprises. B that time, large corporations such a textile firms of Tejidos Medellín, Unió Coltejer and Rosellón, the Colombia Tobacco Company, the insurance gi ant, Compañía Colombiana d Seguros, Postobón soft drinks, Noe foods, Naviera Colombiana, Olan safety matches, Antioqueña d Transportes, Alemán-Antioqueño Ban (today B.C.A.), Sucre Bank, Republi can Bank and many others were al ready well entrenched.

This wave of industrializatio brought with it a formidable surge i urban construction and a notable in crease in the physical area of the city Between 1921 and 1925, for example the city's annual number of housing tarts tripled. Of course, the 1929 crisis strongly affected this nascent industrialization negatively. The dramatic fall in imports and the deflationary measures of that era had a grave impact on an industry that depended on imported raw materials to the tune of 60%. The industrial index dropped by half. In the judgement of economic historians of the era, the rough and ready mining spirit of the people of Antioquia, the high degree of industrial awareness of the workers, and the decision and energy with which the industrial leaders and directors faced the crisis bouyed the newly established industries, causing exceptionally few companies to close. An imaginative process of consolidating and merging successfully aided in facing the difficult situation. Brewers strengthened one another by joining forces. New enterprises such as cement factories, fats and cooking oil plants, foodstuffs, clothing manufacturers, rubber manufacturers and leather goods emerged. Glass and machinery factories followed soon after. In real terms, between 1931 and 1939, Antioquia's industrial production more than tripled. This was accomplished in good part thanks to the incentives provided by the protectionist laws passed during the first part of that decade. To this must be added the catalytic force of the new business legislation which was passed in 1931.

This resurgence of Antioquia's industries occurred before the Second World War and with very little foreign capital. It was the spirit of cooperation and association of the people of Antioquia and their proverbial indus-

trial austerity that facilitated the cohesion and canalization into industry of an important amount of local capital. This, in turn, meant a visible push toward the generalized modernization of the nation's economy. After Antioquia's efforts, the seed of industrialization and business vigor started to spread to the rest of the country.

The physical development of Medellín reflected in good part the positive and negative effects of this healthy industrial expansion. Medellín as an urban center offered an astonishing impression of dynamism. This impression was in tune with the race to amass physical capital, a contest started at the change of the century. One of these shows of progress was the vigorous way in which public works have kept pace with the needs of the community throughout the entire century. Medellín's public services have the highest national index in density per capita in terms of telephones, kilowatts, drinking water, sewers, garbage disposal and provision of public roads. Public institutions formed over the years to provide these services have represented, in themselves, models of organization in the national concert, and frequently they have been cited as prototypes in international financial circles.

But despite everything, the demographic growth of the past decades, fed in good measure by mass migrations from rural areas, has created problems that surpass the authorities' capacity to resolve them. The huge neighborhoods formed over the last thirty years have overflowed the traditional structure of the familiar "ba-

rrio" and its secular mechanisms of social control This overflow has created unheard of levels of violence, corruption and disorder in the city's downtown areas. Insufficient provisions for expansion, recreation and roadways have allowed frightening situations of criminality to hatch.

The narrow topography of the Valley of Aburrá has not helped in containing the problems of congested traffic. As demographic and commercial density in the center of town and in the suburbs increase, the pressure on public roads becomes more unmanageable. The city and civil authorities have been slow in providing solutions for adding alternative roadways. The predominating system does not meet the demands for a true municipal street plan that would facilitate an efficient interconnection between the inner-city and the suburbs. The metropolitan train, poorly planned and carried out, will just barely be a partial solution. Everyone looks upon it worriedly, aware that communal cohesion was missing when real solutions were recently presented on the subject. Here, we are missing traditional leadership and Antioquia's solidarity. It would appear that Medellín moves in the wrong direction, if its goal is to join the modern movement of Latin American urbanization. The mentality of the people of Antioquia includes no clear social concept about public space. Authorities must view this condition with great concern. The challenge is great. To perform the enormously complex surgery required in the years to come, even greater talent than that of the region's ancestors will be needed.

Medellín, Nerve Center and Heart of Antioquia

By Gilberto Echeverri Mejía

Medellín, the synthesis and expression of the people of Antioquia, reflects the region's aggregate problems, difficulties, faults, contradictions, possibilities, and hopes.

A city that has celebrated more than three centennials, it is the result of a process of being flooded by a hard-working and determined community's ambition to succeed. When traditional paths were closed to them, these rough hewn people looked for alternatives. In a given moment, when poor soil started to be less than productive, they sought other ways to fulfill their ambitions. As Jesús Tobón Quintero, one of the proponents for the road to the Sea of Urabá used to argue, "without roads, ideas do not travel". Surrounded by encircling mountains, cut off from the rest of the country, Antioquia was all but isolated for a century. Efforts were made in mining, in the most rugged and forbidding areas. According to the theory of Professor Diego Tobón Arbeláez, the people acquired what he called "the aptitude for assuming risks" while per-forming this activity once a certain amount of capital has been amassed, the capacity for taking risks was an indispensable quality for industrial adventures.

The favorable climate unavailable at the mines or in the "towns" that sprang up around them, prevailed in Medellín. This environment attracted the miners who had made their fortunes in the outlying areas and who understandably wanted to enjoy the fruits of their labors in a more congenial habitat. Anyone who had made a little money in the town wanted to educate their children in Medellín or "move with the fa-mily" in search of better surroundings. Thus the city started to act as a sponge and ab-sorb the best of the Department. It exerted an inescapable attraction on the people from the provinces and with them came the savings they had wrested from the mines, or the coffee plantations, cattle ranches or local commerce.

First, the young men came to study, then they stayed to work and never returned. In their wake came the generalized transfer of the entire family parents, brothers and sisters, relatives. Instead of producing trained professionals for the outlying areas, the feedback from the city to the towns, the provinces started to die out. With the influx of the best from the country, the attractive, neighborly, industrial city grew and prospered. Medellín was North, the pole that attracted. Since what was im-portant was "to go to Medellín", a curious radial structure of communication was formed with the sole purpose of converging at the road to the capital. This created such absurd situations like that which happened to the road from Valparaíso to Jardín. The route takes exactly seven minutes in helicopter, crossing over the mountains. However, the road trip from one town to another must be made by coming first to Medellín and it takes between six and seven hours.

This centralist structure made Medellín into a beautiful city, but concurrently it contracted a cancer that has led to the crisis of the eighties. The toll of the disease's side effects has been 25,000 dead and an exodus of the people who once led the city, a exodus of greater proportions than the one across the desert and through the Red Sea. These are the consequences of a mistaken model of development expressed in macrocephalic development and anaemia in the rest of the organism.

But the crisis taught us a few things. Or, as the popular refrain says, "that about which the town usually talks to its neighbor" —"is not learned without blows". An-tioquia took stock along the way. Its people were made to think and they learned, using hide sight. They saw the importance of the support from the outlying areas. The need to provide the rural areas with a life of their own. And they started to carry the soul of intelligence to them, the university, offering different programs both traditional and by correspondence. The migrations to the capital stopped. The people from the countryside began to understand that to go to the city was to fall into a fatal trap.

Thanks to this change, which has just begun, Antioquia has started to consolidate its vocation as a Department comprised of different regions. Today, Urabá, is its greatest possibility for renovation. The southeastern, northeastern, central Magdalena, near and far eastern regions seem to be regions with their own criteria, with a provincial vocation that seeks to be self sustaining. They have their own professionals and executives. The Department is starting to organize it self in this way, perhaps a little more slowly than we would like but with

eady steps. It is a new con-cept that will lead to the reduction of inequali-es and toward a more harmonious rganization within the Department.

Medellín has also reconsidered its tatus. The citizens are aware that it is he most beautiful city in Colombia. hat the city is full of bright, capable nd dynamic citizens. That its public ervices are the best in all of Latin America, even though its growth is not nlimited. Its thirteen universities , the pecialized educational establish-ents, the centers for biological and ighly technical medical research, are he patrimony of Colombia and America.

But the ambitious city has under-tood that it cannot continue to grow indefinitely. Its citizens know it is not fundamentally im-portant to be the second largest city in the country; they have learned, and hopefully all the other large cities in the nation fully comprehend, that the most important is to be the foremost in security, peace, quality of life and job opportunities.

Why should we have the most spec-tacular streets if we cannot use them without fearing an assault or armed attack? What do we gain by possessing monumental works that amaze people if in the other parts of the city there are impoverished, sub-normal settlements. If something has created a crisis in this explosion of urbanization it is the scheme of two cities in one, in which the former has everything and the latter nothing. Be-cause of this and as a great lesson, the Medellín of the end of the cen-tury must become a city austensibly like the one it is today but improved both within and without. It must be a city whose people are more aware of the whole community, with a sense of integral Colombianism and a concept of a totally renewed and renewing economic expansion. Perhaps indus-try will not grow, but the city's capac-ity in ser-vices, educational structure, in handling its cultural and scientific surroundings, will make it into a more technically organized but indubitably much more human city. This achieve-ment must be its goal, its duty and its guarantee for the future.

MEDELLÍN CITY OF FAIRS, SHOPPING, AND HEALTHCARE

By Humberto López López

The first question an Antioquean will ask anybody arriving in Medellín is: "And when will you be heading back?" It is not an offense or an urge to get rid of the visitor. The answer is simply meant to find out how much time is available to properly host care of the visitor.

Of the most prideful events to an Antioquean is that Medellín be visited. There is a "warmness" within each that is showered upon visitors to make them feel at home, not strangers.

Its spring weather, the marvelous surrounding mountain scenery its metro assisted orderly traffic, its public utilities's (water, telephone, power) superb standards and that special feeling of happy working folks make of Medellín a cherished tourist destination.

Business

Antioquia's capital city is a well known business place. It is home to the Asociación Nacional de Industriales and to one of the top stock markets in the country. It is known as a textile, tobacco, gold, coffee, banana and cement hub. The *Paisa* business person is reliable, is risk taking, loves to work, is trustworthy and delivers. This is why all visiting business groups find Medellín business friendly. The city enjoys excellent banking services and its Real Estate Exchange is second to none.

Hotel accommodations for business people are topnotch. The Portón de Oviedo, Park 10 and Bellort have recently joined the traditional Nutibara, Intercontinental and Poblado Plaza hotels. The Forum International Las Lomas Hotel is in nearby Rio Negro. All feature services catering to today's business person, excellent communications, meeting places, trade publications and business indicators.

Conventions

Medellín's eighteen universities, its convention geared professional tourist staff and its openness to current issue debates have made it an ideal convention city. It enjoys a significant pool of talents from which to tap speakers to address whatever topic. Its ideal equidistant geographical location from other Colombian cities has attracted visitors appreciating low airfares. Its weather and its rational nightlife contribute to assure convention productivity, assistance and success.

Shopping

Medellín makes shopping enjoyable and unforgettable. First of all, shop attendants enjoy their work. They would rather gain a customer than make a sale. Bargaining does not bother them nor does postponement of purchasing decisions.

Malls such as San Diego, Oviedo, Unicentro, Camino Real, Villanueva, Monterrey, Almacentro or factory outle[t] such as Everfit, Tejicóndor, Grulla, or t[he] Centro Nacional de la Moda in Itagüí a[nd] the Centro de Lámparas in Envigado, the Centro Internacional del Mueble, pr[o]vide a vast array of shopping opportuniti[es] reflecting Medellín's fortes: quality, pri[ce] design.

There are at least two kilometers full [of] shop arcades between Ayacucho a[nd] Caracas streets and La Oriental a[nd] Carabobo Avenues. They total 150 sho[ps] and one may wander around downto[wn] Medellín under these covered arcades.

Health

Few cities have Medellín's transpla[nt] record. The *Paisa* capital has earned considerable local and international s[ci]entific reputation. Folks from the Cari[b]bean, Central America and Andean cou[n]tries flock to its health centers.

The Hospital Pablo Tobón Uribe's ca[r]diovascular unit, known as one of the be[st] served in the world; Clínica Medellín with its state-of-the-art technology; Hosp[i]tal General Luz Castro de Gutiérrez, Clínic[a] Samoa, Hospital Universitario San Vicen[te] de Paúl, the recently opened Clínica L[as] Vegas and Clínica Las Américas, and th[e] Clínica de Otorrinolaringología all mak[e] up a significant pool of health servic[e] options run by a world renowned medic[al] corps. These services furnish a significan[t] advantage: quality plus price.

Medellín is home to the Corporación de Transplantes which runs the Banco de Organos. This agency obtains organs nationwide, preserving them under utmost care via special technology.

Festivals

Medellín puts on its Festival de las Flores during August which caps off with one of the most imposing spectacles ever: the chairmakers' parade. More than a thousand countryfolk carry flower laden chairs on their shoulders. It is an ecologist's and photographer's chromatic delight.

During December the city is filled with lights. January and February is bullfight season, featuring top Colombian and foreign bullfighters. During week-ends the city becomes an important taurine center. On the first Saturday of each month the Mercado de Sanalejo opens for business in Parque de Bolívar, very much like Buenos Aires' San Telmo Market, Paris' Flea Market, Madrid's Rastro or Mexico's Angel.

What a Destination!

Medellín enjoys two superb airports: Olaya Herrera right in the heart of town providing regional service and the José María Córdoba in nearby Rionegro Municipality (a 40 minute ride) providing international service.

Likewise, it is the only city enjoying two bus terminals: the oldest to the north and newest to the south, near the Olaya Herrera Stadium. The metro links both. This modern mass transit system was opened during November 1995 and features two trunk lines: A line which joins the Bello, Medellín, Envigado, Itagüí and Sabaneta municipalities in a north-south direction and viceversa; B line which heads towards the city's west.

Medellín boasts an active cultural scene: five theaters run continuous seasons a philharmonic orchestra with two top polyphonic choruses and three gigantic theaters (Metropolitan, Universidad de Medellín and Pablo Tobón Uribe) geared for any type of show.

Comebacksoon

At the El Poblado area's 30 or so fine restaurants one may enjoy local *Paisa* cooking as well as international food. Around Carrera 70 there is an equally interesting entertainment quarter.

Medellín's Zona Rosa is around Calle 10 with El Poblado.

When a *Paisa* drives the visitor to the airport he will bid farewell with two thoughts: "Godspeed" and "Come back soon".

A visit to the city is truly appreciated in Medellín. Cityfolk know it is the best way to convey the kindness of the city and its people.

CULTURE IN MEDELLÍN

By Juan Luis Mejía Arango

In 1825, the small town of nine thousand inhabitants located in the bucolic valley of Aburrá, because of events indicating a definitive break with its Colonial past, experienced a radical change in the routine established over the previous few centuries

One of the memorable events of that year was the arrival of scientific instruments sent by Baron von Humboldt in response to a request issued by the merchants of Medellín. Their intention was to open a school, a mineralogy museum, an institution whose goal was to attract and train workers in the modern techniques that would replace the antiquated Spanish systems for mining gold.

Another important event that year, and directly related to the former one, was the arrival of the first foreign miners. These men arrived in the small town on the backs of carriers. Slowly the knowledge of these technicians penetrated throughout the population, generated by an intellectual process that would have deep repercussions on the region's economy and culture.

We have been most fortunate in that many of the foreigners left marvelous travel logs behind them, giving us the information to reconstruct the everyday lifestyle of the epoch, marked by the routine and lack of what today we call culture.

Aside from popular festivals and feast day celebrations, which included dancing, gatherings and bullfights, it would appear that theater was the populace's preferred pastime, when whiling away the tedium of a peaceful evening in the "beautiful town". Since there was no place where such representations could be performed, acting was limited to recitals performed by members of literary groups who assumed the various roles in the work. In

his "Memories", Boussingault tells us of one of those evenings: "Tea and chocolate were served, people smoked, almost without interruption, until 11 or 12 at night. When the smoke cleared, we read the comedies of Moratin out loud, and I was a great success in the role of the soldier, the officer's aide was well played by Walker; if I remember correctly the play was entitled "The Young Ladies' Affirmative".

Thanks to a charming volume of accounts written by Don Eladio Gónima entitled "Notes for the History of Theater in Medellín and Old Age", we have been able to reconstruct the city's theatrical activities from 1830. The story begins with founding an Acting Company. The company, having no formal theater, decided to build a stage in the patio of a school. They placed some sort of decoration on the boards, which in Gónima's words "was primitive". According to the narrative, it was once a colored sheet as backdrop with white sheets painted with splotches of color that more or less spelled out "drawing room", "garden", and "jail". It was thought that classic tragedy permitted no further decoration than a simple backdrop. Men stood while the women sat on stands located in the upper gallery. The opening performance in this rudimentary theater was an interpretation of Voltaire's "Jaira".

From the many newspapers that circulated in the city during the XIX century, one sees how important theater was in the city's cultural life. Amidst the deluge of political information, every issue printed a critique on the latest theatrical activity. The arrival and permanence of theater companies from the capital or abroad, sometimes for several months at a time because of military conflicts, was an event that mobilized the population.

Other activities widely reported

were the arrivals of tightrope walkers, acrobats, snake charmers, equestrian shows and aeronauts who performed risky ascents in hot air balloons. In 1840, the greatest sensation was caused by an elephant exhibited by a North American company. For years Mr. Robert, the French magician was remembered as that strange personality who at the end of his days passed all of his knowledge on to his nephew, the famous escape artist Houdin.

According to García Márquez in "The General in His Labyrinth", an Italian artist named Antonio Meucci painted the Liberator "amidst the wild flowers and the boisterous frolicking of birds" in the patio of the House of the Marquis of Valdehoyos. In July 1831, a short while after painting Bolívar's portrait, a tiny note appeared in the "El Constitutcional Antioqueño" which read, literally: "Notice: Sr. don Antonio Meuci (sic) of Rome, artist and portrait painter, recently arrived from Cartagena, offers his services to the respectable public of Medellín, offering to paint portraits in miniature and in other styles...". From all accounts, the work that stirred the greatest admiration among the citizenry was the backdrop of the theater which in the words of Gónima, "the illusion was so great that on admiring the backdrop one felt the freshness of dawn. Don Fermín Isaza, the finest painter we have produced, lost his power of speech on viewing this work of art".

Isaza is one of those personalities that history has forgotten, who should be salvaged. He took part in the first theatrical activities, studied violin and then set out for Bogotá where he was initially a student and then a professor at Luis García Hevia's "Society of Drawing and Painting". In 1848 he opened the first Daguerreotype Studio to exist in Medellín. He divided his time between the studio and his drawing and painting classes. In the topsy urvy decade of the 1850's, he was an active agitator of the ideas of the artisans.

At this point it is important to point out the fact that the so-called artists of the XIX century were categorically considered artisans. For example, in the 1836 tax chart for the province, we find that "carpenters, tailors, blacksmiths, lamp makers and foundries paid two reales. Workshops producing sculpture, painting and the like paid three reales. Each theatrical presentation paid four pesos in tax. Each prestidigitator idem." The artisan process generated a manual dexterity and mental capacity for resolving technical problems which reflected on the industrial and cultural development of Antioquia several generations later.

Music began to have great importance in the social life of the city starting in the decade of the 1830's. In effect, the rich took upon themselves the titanic task of importing grand pianos which had to be carried on the backs of mules over the forbidding, surrounding mountains from the ports on the Magdalena River. In 1835, the North American cabinetmakers Joe and David Harris moved and set up shop in Medellín, producing fine quality pianos. In 1838, Mr. Edward Gregory arrived, who according to the chronicles of the time, was the first music professor to academically teach written music. His students formed the Philharmonic Society which performed in concert on Sundays in the homes of Medellín's most wealthy merchants. Don Edward also organized the first Municipal Band.

In 1864, the public was bowled over by Assunta Mazzetti's interpretation of "Lucía", the work that opened the first lyric season in Medellín by an Italian opera company. Its director was Don Darío Acchiardi. In 1871, José Zafrane's company presented the first zarzuela to be performed in Medellín. Zarzuela proved very popular then and later. The newspapers of the period are full of stories about the loves and sighs inspired by the great divas, about different companies' failures and disbanding, about musicians and actors who deserted their companies to remain in the city, living out

their lives doing the most extraordinary things.

The gold rush took the small town from anonymity. By the 1850's, it was common to run into foreigners and miners; wealthy merchants sent their sons off to study in Paris. On their return, the young people tried to incorporate their myriad experiences from the Old World into the daily lives of Medellín's society. In 1865, three of them, Vicente Restrepo, Ricardo Rodríguez and Juan Lalinde, together with Ricardo Wills of Bogotá, formed the Ornamentation Society and the School of Arts. In the same year, the Society organized the first art and industrial exposition. This incipient organization was the stripling that later grew into the School of Arts and Crafts and gave the base for the future Society of Public Improvements and Ornamentation. At the same time, each of these men provided the determining impulse behind some cultural activity. Don Vicente Restrepo, with his brother Pastor and his friend Ricardo Wills, founded the famed photography shop "Wills y Restrepo". He was also one of the first to collect pre-Columbian artifacts. Dr. Ricardo Rodríguez taught his relatives about photography and the art of etching on stone. Juan Lalinde was the director of the School of Arts and Crafts and the first pro-fessional architect of the city.

The School of Arts and Crafts and later the School of Mining, with its courses in technical draftsmanship, contributed in a most fundamental way to the development of painting in the region, especially in the formation of the school of Antioquia's watercolorists. Until that time, trained artisans like Leopoldo Carrasquilla, José I. Luna, Ja-cobo de León and Emiliano Villa, met the demands for family portraits and promised to "build all sorts of decorations and adorn houses with frescos and paintings done in the finest taste possible as well as offering to supply the much needed landscape backdrops for photography studios, with the elegance and perspective that art demands".

In the middle of the agitated political life at the end of the XIX century, a highly respected and sensitive figure

who summarizes the cultural life of the epoch appeared, Dr. Manuel Uribe Angel. Medical doctor, historian, geographer, author, and promoter of civic works, he was the moving force behind many important projects, among which the Zea Museum and Library today the Museum of Antioquia —is an outstanding example—. His "Geography and Historic Compendium of the State of Antioquia in Colombia", published in Paris in 1885, continues to be a classic text on the subject and is one of the pioneer works to evaluate Colombia's pre Columbian past.

The town prospered and at the turn of the century it had a population of nearly fifty thousand inhabitants. Artisan activity was intense and met the needs for consumer goods of the populations caused by the wave of colonization in the southern part of the Department. Three of these family workshops became centers of cultural development with profound repercussions on the evolution of Medellín's cultural life. They are the workshops of the Carvajal, Vieco and Rodríguez families.

The Carvajal family filled the parish churches of the Departments of Caldas and Antioquia with the holy images of saints. The noble profession of carving such images was performed with dignity by Alvaro, Constantino and Rómulo Carvajal until their craft was replaced by the horrendous plaster images that were mass produced in Spanish factories. The cultural tradition has been maintained by don Gabriel Carvajal, a magnificently accomplished photographer.

Out of the carpentry and cabinetry workshop of don Camilo Vieco came a good portion of the history of the sculpture, painting, popular music, etchings, typography, manufacture, and tuning of city's battery of musical instruments. On reviewing XX century cultural life in Medellín, the lives of Luis Eduardo, Bernardo, Gabriel, Alfonso, Roberto, and Carlos Vieco Ortiz come to the fore. Each of them in their turn created a cultural nucleus that has endured until our days.

In Don Melitón Roldán's marble workshop, his sons founded the still active "Rodríguez" photography stu-

dio. Their archives cover the city's history over the past century. In that workshop Francisco A. Cano together with Horacio M. Rodríguez and Rafael Mesa were taught the basics of copper plate etching. Out of that emerged the first illustrated magazine to be published in that medium, "El Repertorio". Later, Horacio dedicated himself to architecture and with his children Nel and Martín, left an indelible imprint on Medellín's urban history.

Carlos E. Restrepo played an important role in Medellín's cultural life at the end of the past century. The future president was a promoter of the "Literary Casino" and the Society for Public Improvements. Together with Rafael Uribe Uribe, he was able to sponsor Francisco A. Cano's voyage to Paris so that he could finish his fine arts studies. Furthermore he was a fine bookseller and the editor of several literary magazines.

The "Literary Casino" was a sort of salon that required the presentation of an unpublished work as an entry exam for each of its members. Thus, to meet the requirements of the group's by-laws, Don Tomás Carrasquilla wrote, or as he said "bluffed", his way through the tale "Simón the Magician". And later, in order to put an end to the dilemma about whether there was or was not sufficient material for writing a novel, he wrote "Fruits of My Land", his first novel, penned in "the bucolically serene solitude of my parish". These were the beginnings of a vigorous literary movement which would produce great story tellers such as Efe Gómez and Francisco de Paula Rendón.

Literary accomplishments were made known in literary publications such as "El Repertorio", "El Montañez", "Alpha", and "Miscelánea". Even today the quality of the literature and the "Art Nouveau" design of the twelve issues of "Lectura y Arte" are surprising. This magazine was published between 1903 and 1906 by Francisco A. Cano and Marco Tobón Mejía.

Another of the important works sponsored by Carlos E. Restrepo was the Society of Public Improvements and Ornamentation, a civic entity that like so many others, led the way toward accomplishing important works for the city, such as planting trees in new neighborhoods, publishing works to promote the city abroad, creating a Fine Arts Institute and, to commemorate the one hundredth anniversary of the Department's Independence, the society planted an immense forest near the city limits which brought to mind once again the republican tradition of planting "Liberty Trees".

In "Guanteros", the artisan neighborhood, in the bohemian nights, song burst forth spontaneously from the lips of popular musicians who discovered in bambuco, that rhythm imported from the capital by Pelón Santamaría, the perfect format for expressing love's disappointments. The more disciplined of these musicians studied "composition" at the Santa Cecilia Academy under the direction of Maestro Arriola, a highly respected musician who settled in Medellín after deserting one of the many traveling companies to visit the city. One morning, while the Academy practiced "Lira Antioqueña", a North American couple passing by were surprised by the beautiful melodies played on the strings of the musicians inside. They had been sent by Columbia Records as talent scouts. A few days la-ter, "Lira Antioqueña" was recorded in the Columbia Record Studio in New York.

While merchants spent their time trying to fill their pockets, in the coffee shops that surrounded the main square—La Bastilla, El Blumen, El Chantecler—, intellectuals emptied their pockets during the long hours they spent writing verses and music and imbibing harsh "aguardiente" liquor. In "El Globo" coffee shop, a group of young men formed an artistic vanguard by breaking with parish traditions, trying to assimilate the currents of European thought. In 1915, the group was led by León de Greiff while Ricardo Rendón and Fernando González, to mention a few, were members. They began by publishing a small magazine entitled "Panida" and they were able to publish ten issues. De Greiff wrote an appropriate synthesis of the group in short verses that read as follows:

"Musicians, rhapsodists, prose poets, poets, poets,
painters, cartoonists,
erudites, aesthetic minimalists;
romantics or classicists,
and decadents if it seems so;
but this yes, crazy and artists,
we, the panidas, are thirteen"

"Panida" was followed by two other important publications, "Cyrano" and "Sábado". The former was the vehicle used to publish the works that emerged from the salon held at María Cano's home. In addition to the members of that literary group, Luis Tejada, Efe Gómez, Abel Farina, Eladio Vélez, and Antonio J. Cano composed works for the magazine. "Overly sensual" political essays and poems written by María Eastman, Fita Uribe and even María Cano caused a scandal and a prompt reaction from the city's "society" matrons who launched their own magazine named "Letters and Lace".

From a publishing point of view, "Sábado" was a more ambitious publication, much like "Cromos" and "Gráfico". It was profusely illustrated with photographs and drawings by Rendón, Pepe Mexía, José Posada, Vieco, and the Restrepo Rivera brothers, who, through their illustrations and cartoons, incorporated cubist and "Dadá" movement ideas into Colombian art. In point of fact, Adelfa Arango Jaramillo's articles on modern art tendencies as revealed in the French Art Exhibition held in the rooms of Club Union in Medellín in November of 1922 are most significant. Among other world class artists, León Vouguet, Robert Villar, Alberto Glaize, Francisco Picabia, and Pablo Emilio Picasso participated in that exhibition.

In those years, businessman Gonzalo Mejía promoted the construction of the imposing Junín Theater, capable of seating 5,000. After its inauguration in October of 1924, and enthusiastic over the success of the moving picture "The Tragedy of Silence" by Arturo Acevedo of Bogotá, Mejía founded the "Compañía Filmadora de Medellín". For the Company's first and only production, "Under Antioquia's Skies", all of the Department's bourgeoisie was hired to act. Twenty years later, another quixotic promoter, Camilo Correa, founded "Procinal

A." a great cinemagraphic enterprise that would enter into bankruptcy after the complete failure of its only full feature film, "Beautiful Colombia".

The thirties wrought a complete transformation on the old hamlet of artisans and merchants. The town had developed pretensions of becoming a modern, industrialized city. The artisan associations gave way to labor unions. It was one thing to produce and sell an article and quite another to sell a piece of time. In the transition from artisan to factory worker, "Guanteros" gave way to "Guayaquil", the new center of Me-dellín's nightlife. There, the strains of what record makers would include as filler on their long plays, the tango, started to fill the air. The bambuco of the campesino was replaced by the melody of the city. Those newly arrived to the city adopted as their own the lyrics that bespoke European immigrants' solitude in Buenos Aires. Thus as Melitón Rodríguez was the photographer of the pretentious Creole aristocracy at the beginning of the century, Benjamín de la Calle would leave behind an anonymous and dignified graphic record of the new social class.

In this period three painters returned from Europe. Eladio Vélez brought the light of the Impressionist movement with him; Ignacio Gómez exposed the symmetry of Cezanne while Pedro Nel Gómez rediscovered the ancient technique of fresco painting, an ideal medium for socializing art, for telling on the walls of the city, the history and mythology of a people. "I was in need of walls on which to paint" said Pedro Nel while he painted a series of murals for the new Mayor's Office Building between 1934 and 1938. Art had stopped being mere decoration and entertainment. Now was the time for shouting, for protest. After Pedro Nel came Carlos Correa and Débora Arango.

The silent and all but deserted streets and squares photographed at the beginning of the century by Jorge Obando now filled with people. With his Cirkut Eastman Kodak camera, Don Jorge discovered the ideal medium for recording the new protagonist of photography, the mob. On his huge plates

that measured more than a meter wide, Jorge Obando would photograph manifestations, processions, sports events, and even tragedies such as the accident in which Carlos Gardel lost his life. Obando was the photographer of the masses.

From 1939 to 1944, amidst the dramatic headlines of World War II, the newspaper "El Colombiano" under the directorship of Miguel Arbeláez Sarmiento and Otto Morales Benítez published a supplement entitled "Generación" in which Belisario Betancur, Jaime Sanín Echeverri, Eddy Torres, Ovidio Rincón and Juan Roca Lemus published their first efforts. This group would promote Rodrigo Arenas Betancur's trip to Mexico. Some years later, in 1948, in the same daily newspaper, the first illustrations of a young painter named Fernando Botero appeared.

While the specter of "la violencia" be-gan to show its ugly fangs, a new group of writers argued their points of view on politics, recited Barba Jacob and founded the "House of Culture". This entity sought to found libraries in every neighborhood of the city. The intelligentsia had transferred to the Lovaina neighborhood where one can still have a night cap to the gentle loving sounds of Pablo Neruda's poems. It was the generation of Manuel Mejía Vallejo, Carlos Castro Saavedra, José Horacio Betancur, Arturo Echeverri Mejía, Alberto Aguirre and Oscar Hernández. Political persecution caused the group to disband and the "House of Culture" was little more than a frustrated dream. As of 1948, Alberto Aguirre sustained that "the violence is our central theme, it is the guiding force of Co-lombian life; it is not possible to elude it either in life or in literature". Reading "Rifles and Stars" by Castro Saavedra or "The Ap-pointed Day" by Mejía Vallejo is sufficient explanation.

To the hopeful euphoria kindled by Rojas Pinilla's government, to the frustrated wish for achieving political peace, to the exhaustion of some cultural patterns that were far distant from the national reality, a group of infuriated youth responded by scandalizing their homeland with their attitudes,

attitudes labeled "nadaism" or "nothingism". Led by Gonzalo Arango and meeting at the Soma Clinic coffee shop, a site chosen as a symptomatic expression, they launched their manifesto of war against statu quo. They employed the most offensive words they could find in their dictionaries and threw them in the face of society. Out of the rubble a few good poems by Eduardo Escobar, Amílkar Osorio, Darío Lemus and Jaime Jaramillo Escobar's work entitled X-504 remain.

May of 1968, a memorable date. The first Coltejer Biannual Art Exhibition was held. It attracted an audience that was astonished by the new proposals of art and the mini skirts worn by many of the spectators. Despite a large dose of snobbery, the five shows held served to freshen the city's art environment, to show the new forms of expression that were winning world recognition.

The decade of the seventies found the city in a so-called urban war, represented by the plasticity of the artists who exhibited in the show entitled "Eleven Antioquian Artists". The eleven were, Martha Elena Vélez, Dora Ramírez, Jhon Castles, Hugo Zapata, Humberto Pérez, Javier Restrepo, Rodrigo Callejas, Juan Camilo Uribe, Oscar Jaramillo, Alvaro Marín, and Félix Angel. In literature this generation gathered around the literary group that wrote for the magazine "Acuarimántima", Elkin Restrepo, José Manuel Arango, Helí Ramírez and Víctor Gaviria.

In summary, we could affirm that a century ago Medellín generated a strong expansive wave that promoted the creation of innumerable outlying towns. As of the thirties, this strength contracted until it became a great black hole with a tendency toward self-destruction. Much has been written. Much has been diagnosed. The truth is that out of the great crisis of the eighties, in addition to the indelible scar caused by this nightmare, we still have the works of Víctor Gaviria, José Manuel Freydel, and a few painters who have responded almost with their guts to the strange maelstrom of violence in which we find ourselves trapped.

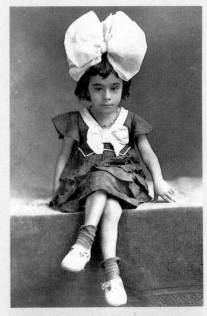

Empresas Públicas of Medellín

Which would be the ideal example that in one unique image would reflect the Paisa folks' spirit? It would perhaps be to reflect upon a pouch recently strapped across some sturdy the shoulders ready for work at dawn, or perhaps one may reflect upon a jovial and energetic individual who can barely manage that his pronunciation of the letter s not become an uncontrollable his as he utters more than one phrase.

Colloquies aside, there is in fact an outstanding example that reflects this spirit: the Empresas Públicas de Medellín (EE.PP.M.). The Antioquian's vision and mettle in the difficult task of furnishing top community public utilities are embodied here.

Managerial efficiency and proper, well applied technology have consolidated this municipal agency as the topmost in Colombia and a flagship throughout Latin America, up to the point that its financial discipline and market coverage continuously opens doors to every local and international financial institution.

Throughout its 40 year independent history the firm has boasted high power, gas, water supply, drainage and telecommunication public utilities coverage, maintenance and repair ratios. And it owns a number of infrastructure facilities totally built without a single peso from the national coffers.

Excess Power

While power shortages will never again be a joking matter in Colombia, the Empresas Públicas de Medellín provides power to 120 of Antioquia's 124 municipalities achieving 100% coverage in the urban areas and 95% coverage in the rural areas. In other words, it enjoys the highest city service ratios in Colombia.

In order to deliver service to customers it has ten hydroelectric power plants, 1,576 of transmission lines and 32 transformer sub-stations. Additionally, as true well deserving Paisas, not all is there to spend: at 19.1.% the firm leads in power loss recuperation in Colombia.

Each recuperated point equals 59 million kilowatt-hours which is an amount of power in excess of the Department's Northwest area (from Santafé de Antioquia to Urabá) and el Chocó's monthly consumption. The recuperated 1.4 points (82.6 million kilowatt-hour) may be compared to four days consumption in the Valle de Aburrá. Additionally, Empresas Públicas de Medellín was the first agency of its nature to institutionalize power rationing programs.

In this fashion and with the Ponce II project — scheduled for 1999 service— and the contracting of the Nechí Hydroelectric Project, the Empresas Públicas de Medellín are leaping with vision into the future.

Not to be outdone is the new service it will soon be massively providing the Valle de Aburrá area: household gas via grid system. The first customers will be hooked up by the end of 1997.

Pure Water

Regarding water, the Paisas seem to abundantly repeat what they achieved with power. Water potability norms that are stricter than local and international health agency standards render this Empresas Públicas de Medellín supplied precious liquid as one of the highest quality drinking waters in the continent.

Over 98.4% of the population living within the seven municipalities under its influence can so testify to that. In 1999 the firm expects to achieve a 99.3% coverage ratio. Empresas Públicas de Medellín delivers 8,700 liters of water each second to its customers and 751 million liters every day from three reservoirs or supply sources.

In order to optimize the system's efficiency and service, the firm operates the Centro de Control Acueducto from where all water supply service is run by computers. Data on all station equipment is gathered there. On the basis of its quality and technology, and process complexity, it is a unique control center in Colombia.

Recovery

Pursuant to a very coherent course of action, the Antioquians have taken the recovery of the Medellín River upon themselves very seriously. It will take time, but, contrary to other areas nationwide, they have gone from words into action. The Empresas Públicas de Medellín will invest US$200 million up to 1999 in the Medellín River Recovery Program, including the construction of the San Fernando plant, first of four earmarked for drainage treatment in the Valle de Aburrá.

Telecommunications

Just like when speaking of the Antioquenians' favorite sports, telephone service has experi-enced one of the most significant growth rate throughout the area. Service reaches 668,70 subscribers in 18 municipalities. It feature 785,000 lines, a 70.12% coverage ratio and density of 27.15 lines for each 100 inhabitant And, as if that were not enough, it has 8,69 public telephones. Currently Empresas Públic de Medellín also provides other basic telephon rediocommunication, value added and telemat related telecommunications services such a mobile telephones, integrated digital grid se vices, videoconferences, trunking, beepers, da transmission, voice mail, special services, rur telephone and telecommunication service among others. It also provides cellular phon service via Occel as partner to ANCEL, Antioqu Cellular.

Social investment

Technology, coverage, first places... All thes well used terms regarding EPB are nothing but facade to a more profound circumstance: i focus on the human being, on community inves ment.

During the past few years the municipalitie located within its current and future hydroele tric influence areas have benefitted from road bridges, public utility infrastructure facilities, edu cational, cultural and community centers; roa paving, supply and transportation of materia and equipment, furnishing of locative areas, jobs grading, protection drainage, forrest supervisio consulting and inspection work.

Al this without overlooking the neighboring env ronment by pursuing reforestation and forres conservation programs around its reservoirs (als available for recreation as ecological parks), ero sion control and environmental impact studies

EE.PP.M.

With so much to do the firm could not be le behind regarding its own working place. In 199 it begun construction of its headquarters. It wi be one of the largest in Latin America with a tota designed and built 124,000 square meter area.

It will highlight four basic features: innovatio state-of-the-art technology, sobriety and practi cality. In short, it will be an "intelligent building" that is, it will link architectural conceptual ele ments, organizational priorities, communication and automatization to provide efficiency an functionality and to support operations and main tenance. Its structural characteristics will leav room for future architectural and engineerin possibilities proposed by the new times to come (Text page: 82-83).

Page 6
Berrío Park in 1912 with La Candelaria Church —the old cathedral—. (Photograph by Melitón Rodríguez).

Page 8
This is how the "Circo España" used to announce its presentations in 1934. (Photograph by Francisco Mejía). Below, Paseo Buenos Aires, today Ayacucho Street.

Page 9
Diagonally across from the Church of La Candelaria, the Echavarría Building on the northern side of Berrío Park. (Photograph by Melitón Rodríguez, 1917).

Page 10
For many years Cisneros Market was the busiest commercial area of the city. Since 1894, the principal public market has been held there in a building designed by the renown French architect, Carré. Throughout Medellín's history, Carrera Junín has been the hub of its social and commercial activity. Note in this photograph, taken at the turn of this century, the number of pedestrians that invaded the street in those times.

Page 13
Above, a panoramic view of Medellín taken around 1930 from the Los Angeles barrio, to the east of the city. The only tall building extant at that time was the Metropolitan Cathedral.

Page 14
The Government Palace—today the Palace of Culture— and its surroundings, was built between 1920 and 1938, and faces Plazuela Nutibara. (Photographs by Francisco Mejía).

Page 15
The Gonzalo Mejía Building, where the Hotel Europa and Junin Theater once stood. Santa Elena Creek used to run in front but was covered over to make way for Avenida de la Playa. Presently the site is occupied by the Coltejer Building. (Photography by Francisco Mejía, 1928).

Page 16
Diverse views of the Plaza Principal, today Berrío Park. On the left (above), a military parade from last century and the 1925 street car lines, with the Echavarría Building in the background. On the right, the old Cathedral in 1892, today the Church of La Candelaria, and the below, the street lined with buildings that opened the way in front of the church (left). (Photographs by Melitón Rodríquez and Gonzalo Escovar).

Page 19
Berrío Park owes its name to Dr. Pedro Justo Berrío, who was president of the Sovereign State of Antioquia. His statue was erected in the center of the park. (Photograph taken in 1910). In 1921 an electrically powered streetcar was put into service. It originated in Berrío Park and the route extended to places as remote as La América and Robledo.

Page 20
These two 1909 photographs, taken by Gonzalo Escovar, show the well located and commercially active Calle Colombia and the Church de la Veracruz. This church was built by the Spaniards.

Page 21
Calle Bolivia as it was in 1928. (Photography by Francisco Mejía).

Page 22
Streetcar to La America, at the Cisneros Railroad Station. (Photography by Benjamín de la Calle). Hundredth anniversary of the death of Atanasio Girardot, a hero of the War of Independence, held in the Plazuela of La Veracruz in 1913. (Photography by Benjamín de la Calle).

Page 23
On the facing page, typing classes at the Remington School, which used to be on Junín (Carrera 49) at Colombia (Calle 50). Also, the laboratory at San Ignacio College, around 1935. (Photographs by Francisco Mejía).

Page 24
Medellín is the birthplace of many illustrious men who have made great contributions to the country. One such man was General Rafael Uribe Uribe. (Photograph by Benjamín de la Calle, 1914).

Page 25
On the left, a 1897 photograph of industrialist Don Alejandro Echavarría, a textile innovator and a fervent promoter of the San Vicente de Paul Hospital. Beside him, a picture of Don Fidel Cano, the founder of *El Espectador* newspaper, taken in 1910. Below, President Carlos E. Restrepo, who governed Colombia from 1910 to 1914. On the left, a photograph of Don Rudesindo Echavarría taken in 1906. He was an industrialist, business promoter and the father of the former Minister of Finance, Luis Fernando Echavarría. (Photographs by Benjamín de la Calle and Melitón Rodríguez).

Page 26
Doña Ana Mejía de Restrepo, the wife of Camilo C. Restrepo, former governor of Antioquia, and her daughters. (Photograph by Melitón Rodríguez in 1928). Doña María Josefa Echavarría de Echavarría, her children and their close friends. One of the most respected textile families of Antioquia. (Photograph by Melitón Rodríguez in 1913).

Page 27
Doña Helena Ospina de Ospina, mother of Dr. Alfonso Ospina Ospina. This photograph was taken by Melitón Rodríguez in 1929 especially for reproduction in the magazine Madre. A lovely Antioquian girl on her tricycle. Above and to the left, Doña Luz Castro de Gutiérrez, an Antioquian matron, since passed away, who was the mother of former minister Edgar Gutiérrez Castro. (Photograph by Melitón Rodríguez in 1928).

Page 28
During the turn-of-the-century **Walter Bridge** set up a company carrying his own name which has been involved in Medellín's industrial and business development via the supply of equipment, machinery and service. The firm is known for its reliability. Walter Bridge has indeed become a traditional company.

Page 29
A 1906 self portrait of Benjamín de la Calle, shot while he sported work clothes. (1869-1934).

Page 30
Coltejer yarn and weaving plants (above, in a photograph by Francisco Mejía, 1940). The other picture is that of the façade of the Bank of the Republic Building, around 1933. It used to be next to the Church of La Candelaria in Berrío Park. Currently, the Medellín Stock Exchange Building is located at this address.

Page 32
A view of Carrera Carabobo in 1948. (Photograph by Carvajal)

Page 33
Two ways to advertise are shown on this page: a 1939 promotional photograph for cigarettes, and an Almacenes Ley delivery truck, 1938 vintage. (Photographs by Francisco Mejía).

Page 34
A beer brewery in 1931. (Photography by Francisco Mejía).

Page 35
The **Café La Bastilla** Factory successfully began to write its history in 1910. It is a grand story that has been written in daily increments, as is the case in all things that are achieved solidly and well. Café La Bastilla is a symbol of the coffee culture tradition, presented to a public that demands fine, mild coffee, the delight of connoisseurs. Café La Bastilla, always good to the last drop.

Page 36
On the left, Avenida de la Playa, one of the city's most beautiful areas, where magnificent estates constructed in many different styles were built on either side of Santa Elena Creek. The creek divided the city in two until it reached the river. (Photographs by Gonzalo Escovar, 1909).

Page 37
A panoramic view of Medellín taken in 1930 from the righthand tower of today's Metropolitan Cathedral. The other photograph, taken by Gonzalo Escovar in 1910, is of Carrera Junín, known formerly as Calle Villanueva. In the background, Bolívar Park and the Cathedral.

Page 41
Many of the inhabitants of the capital of Antioquia continue to consider downtown Medellín as an important place for meeting friends and for conducting business. Pensioners "solve the nation's woes" beneath the shade trees of Bolívar Park. Calle San Juan (facing) is one of Medellín's oldest streets. Having been widened several times, it is now not only the city's longest but also the fastest route east/west.

Page 42
The Union Club, founded in 1894, is located on Carrera Junín and is Medellín's oldest social club. Its rooms are soberly and elegantly decorated and have been conserved most carefully. **The Union** is the best place for social or business meetings. Club staff will also cater and serve any affair, organize and help plan the success of any party.

Page 43
The **Medellín Stock Exchange**, opened in 1981, is located in the heart of the city: the traditional Berrío Park. The Exchange, via its brokerage firms, in addition to handling stock and bond transactions, provides investment banking and underwriting services.

Page 45
The great majority of the people of Antioquia, a melting pot of many races, are descendants of Spaniards from Andalusia, the Basque country and other parts of the "Mother Land". Very few of the native Americans remain for they were all but decimated by the advancing Conquest. In some faces one can see the features contributed by the slaves brought to work the mines. "La Gorda", a sculpture by Fernando Botero, lives merrily in Berrío Park. It is a meeting place, a reference point and a landmark for the people of Medellín and for those from afar.

Page 46
Coltejer, a pioneer in the textile industry and in exporting manufactured textile products, is one of the principal textile industries in Latin America. With an 85 year history, it orients its work philosophy around quality, and because of this, **Coltejer** has superior employees while enjoying constant technological modernization and production growth.

Page 47
The Coltejer Building, built at the beginning of the 1970's by the Compañía Colombiana de Tejidos, is a symbol of the city. The offices of various enterprises are on the thirty-five floors of the building. The building has a multi-purpose room where academic and cultural events are held, two movie theaters, and a shopping center.

Page 48
Two views of the modern Argos Tower on Oriental Avenue. This soaring building is an example of contemporary architecture as applied to office buildings in the city.

Page 49
Among constructions of the city center, the modern and sober **Banco Cafetero** building outstands.

Page 50
In a venerable mansion in the old Prado barrio, surrounded by gardens, **FAES —Foundation of Antioquia for Social Studies—** carries on an ample and silent effort in the field of cultural endeavors, sponsoring seminars, symposiums, publications and safeguarding an invaluable documentary patrimony. The private archives of the region have turned the foundation into a mandatory point of reference for national or foreign investigation and research on the area. Carrera 45 No. 59-77.

Page 51
Various generations of Medellín inhabitants have strolled down, made purchases on and even fallen in love on Carrera Junín. This street is an integral and frequently intimate part of the city's history.

Page 52
The former Antioquia Department government building built in 1938 on the Plazuela Nutibara was restored and made into the Palacio de la Cultura.

Page 53
The **Hotel Nutibara** is an architectural gem. It features an earthquake proof structure and was built in 1945 under American building specifications and opened under European service standards. It is in the heart of town, just two blocks from the metro station. Its 234 comfortable guest rooms enjoy the latest in modern hotel requirements. Without leaving the hotel guests may enjoy different entertainment facilities: casino, discotheque, pool and humid area, gymnasium, three restaurants and bars —International, Typical and Coffee shop— own shopping promenades and, in the adjoining building tower, 25 shops and a bank

Page 55
The building that until just a few years ago was known as the Antioquia Government Palace is now called the Palace of Culture (left). Located on Nutibara Plazuela, it is the work of architect Goovaerts, who was brought from Europe by the departmental government in 1921. To the right, the Metropolitan Basilica. Construction was begun in 1890 while French architect Charles Carré was living in Medellín, but it was only completed 41 years later. Approximately 1,120,000 baked adobe bricks were used in its construction, making it one of the largest edifices of its type. The baldachin that covers the main altar is a magnificent dome topped by a cross and supported by four columns fixed to ornamented pedestals. The work was built of different colored fine Italian marbles.

Page 56
In the foreground, the Cathedral, also called Villanueva Church because of the former name of the plaza where it is located, is Romanesque in style with touches of Byzantine. Its walls are two meters thick. Above and to the left, the Church of Our Lady of Perpetual Succor,

which is the finest example of Gothic art in the city. Below, the church consecrated to Saint Joseph, located in the middle of the city, where one also finds a mid-XVII century oil painting of San Lorenzo, the first patron saint of Medellín.

Page 57
The gothic style spire belongs to what is known as the Church of Manrique, consecrated to Our Lord of All Mercy. Its constructor was a Carmelite brother from Spain who had some knowledge of masonry. The shrine is a departmental monument. The white tower belongs to the church that presides over El Salvador Barrio, founded over a century ago, when the Bella Villa, as Medellín is sometimes called, was confined to the eastern bank of Medellín River.

Page 58
The first people to settle in the village of Medellín gave their support to a pilgrimage church which they named La Veracruz de los Forasteros, but the church was never completed. In 1791, foreigners residing in the city decided to take up the work which they completed in 1803. Maestro Pedro Chávez was commissioned to decorate the interior of the church. The main altar was brought directly from Spain.

Page 59
Most of the Catholic parishes undertake solemn processions along the city's main streets during Holy Week attracting many of the faithful.

Page 60
Above, Avenida La Playa where it crosses Avenida Oriental, the pivot and heartbeat of both traffic and life in the center of the city. To the right, some of the buildings on Avenida Oriental, the thoroughfare built during the sixties, which has since become one of the most important streets of downtown Medellín. Where one story stucco houses used to be, today, there are modern buildings and shopping galleries.

Page 61
Also located on Avenida Oriental, the Vicente Uribe Rendón Building stands out for its modern and functional architecture. The building's facade is complemented by an Arenas Betancourt sculpture.

Page 62
Medellín Chamber of Commerce
Is an important service agency which promoters regional development through business and civic programs. It covers a great portion of Antioquia with its North, North Aburrá, Southwest and West units and provides company incorporation services for members and affiliated. All these activities have earned it a well deserved place within the national context.

Page 63
Fruit vendors, conversations on the street and beautiful women are part of the hospitable image of Medellín.

Page 67
The Parque San Antonio was built on a downtown lot as a recreational alternative for Medellín's folks. The park, which is more of a plaza, is embellished by three sculptures by Fernando Botero, the renown Antioquean painter and sculpture.

Page 68
This park was built during Alfredo Ramos' term as mayor. It was funded from the sale of shop space along the plaza's outskirts.

Page 69
Alpujarra is the center of both municipal and departmental government. Located there as well is the National Palace which houses the judicial branch of government and the building for the Empresas Departamentales de Antioquia—EDA. On the following pages is an aerial view of the Administrative Center and its surroundings.

Page 72
The room who the Medellín City Council meets is one of the most beautiful examples of this architect's work. He strives to create beauty, harmony, functionality and comfort in the rooms he creates.

Page 73
An monumental work by Maestro Rodrigo Arenas Betancurt, dedicated to the Race of Antioquia, has pride of place in the central plaza of La Alpujarra.

Page 74
The old Guayaquil plaza walls are decorated with photo mural scenes from Medellín of yore.

Page 78
The Medellín Metro, the first mass transit system in Colombia, is earmarked to address the city's transportation needs. It runs downtown on viaducts and at ground level along some of the most distant points of Antioquia's capital.

Page 79
The Valle de Aburrá metropolitan train crosses Medellín and some of its neighboring outskirts with two rail lines: one that runs north to south and the other which runs west from Parque San Antonio.

Page 81
The Medellín Metro's construction began during the mid 90's. This mass transit system will link the city with several municipalities.

Page 84
The **Empresas Públicas de Medellín** generate power for 120 of Antioquia's 124 municipalities, that is one hundred percent of the urban areas and ninety five percent of the rural areas. Also, they are leaders in Colombia in energy loss recuperation.
The Niquía, La Tasajera power plants. The Peñol, Guatapé and Río Grande dams.

Page 85
Each year during the Christmas season Antioquia's capital spruces up with lights and colors, courtesy of the **Empresas Públicas de Medellín.**

Page 86
The municipalities located near the current and future hydroelectric **Empresas Públicas** de Medellín projects have benefitted from the infrastructure work. To the right, the Manantiales potable water plant siphon.

Page 87
The Empresas Públicas de Medellín telephone service has a density of 27 lines for each 100 inhabitants. The entity is gearing up to provide local and international long distance service.

Page 88
Rigorous potability standards render the water furnished by **Empresas Públicas** de Medellín as one of the highest quality drinking waters in the continent.

Page 89
The **Empresas Públicas** de Medellín headquarters is one of the most modern and largest building areas in Latin America. It will be completed in 1996.

Page 91
The **Empresas Públicas de Medellín**, an independent agency founded in 1955, reports the highest public utility, water, sewage and telecommunication service, maintenance and repair ratios.

Page 92
On Nutibara hill's peak stands the Pueblito Paisa, a replica of a typical Antioquean village and a must for all Mountain Capital City visitors.

Page 95
Panoramic views of Medellín which show, on the page facing, the center of the city in the foreground and in the photograph at the top, the viaduct for the Metropolitan train and University City.

Page 96
The wholesale produce market receives agricultural products from all over the country, supplying the city's needs. Because of the magnitude of its activities, this market is the most important receiving and distributing center in the Valley of Aburrá. "Coteros" or "bulteadores" are the men in charge of loading and unloading the trucks and "chivas" that transport the foodstuffs "Chivas", charming open buses, are veritable mobile shows of popular art. These wooden sided vehicles are the means of public transportation for many of the department's municipalities.

Page 98
While some bargain for the price of food, others tansport an infinity of thing in antiquated animal drawn vehicles. Construction materials and rubble are the most commonly carried on these outmoded flatbeds, drawn by "bestias" and Known as "zorras".

Page 100

I'll buy it, I'll set it, I'll exchange, I'll tell you what I'm going todo...anything goes in these highly informal business concentrated around Berrío Park. So many and so picturesque are they that the area has acquired a nickname. The Cambaleche, which means trade or barter, and it is is a unique marketplace. On the opposite page, other street vendors, offering "arepas" which is bread to the people of Antioquia. Arépas are so varied, depending on the kind of corn and how it is processed and eventually prepared. Lots of corn on the cob roasted over open fires is also consumed. Others hawk housewares.

Page 102

Although Medellín is known as an industrial city it is also a commercial city. Its streets are filled with all manner of commerce from elegant, modern shopping centers to the traditional old fashioned general merchandise stores to street vendors who sometimes plague passers-by but are monetheless picturesque.

Page 104

The North Passenger Terminal was opened in 1984. It integrates the railroad, bus, taxi and metropolitan train services. All intermunicipal and nationwide public transportation to this part of town passes through here.

Page 105

The Terminal Sur de Transporte was opened in 1995 to provide bus and taxi service to the Valle de Aburrá area.

Page 106

During the last two decades, Medellín's road systems have experinced overwhelming change. Narrow streets have given way to great avenues with interchanges such as those shown on these pages which allow a smooth flow of traffic.

Page 107

The Medellín River, crossing the city from south to north, has become the city's traffic axis. Important avenues cross its banks and the metro runs along a good portion of its length.

Page 109

Cattle ranching and raising pigs has always been of the foremost importance in Antioquia. The Medellín stock Barn is the country's most important. Weekly, hundreds of headof cattle are bought and sold.

Page 110

In the Exposition and Convention Center all manner of events are held every month. Among de most important are Colombiatex and Colombiamoda, both are manifestations of the capital's importance as the nations clothing manufacturing center. Medellín is home to the nation's three most improtant fabric manufacturers as well as to an infinity of clothing manufacturers and designers who produce for the domestic and export markets.

Page 111

Aluzia's 20 year experience has made it a leader in belt and other leather products. That

is why an Aluzia belt has the seal of beauty, elegance and quality making it unique. Aluzia is now international. It opened a shop at Mall San Pedro in San José, Costa Rica. Its sales outlets in Colombia are in Bogotá, Medellín, Cali and Armenia. Aluzia: Colombian hands lovingly working Colombian leather.

Page 113

Ragged and Phax is synonymous of diversity and creative design. Its top quality informal and swing wear, added to the care and service provided at its sales outlets, have positioned these brands as youth market favorites. Ragged and Phax is considered among the better ready-to-wear products.

Page 114

Medellín has two airports, Olaya Herrera, located in the metropolitan area, used to be the main airport but now it is used as the regional terminal for smaller aircraft on shorter flights. The regional airport is connected to José María Córdova Airport by means of a continuous helicopter service.

Page 115

The courteous and excellent service which has distinguished the **Consolidated Medellín Aeronautical Society S.A., SAM** has positioned it as the second most important airline in the country. With more than 50 years experience this vacation focused airline services destinations in Colombia, Central America and the Caribbean aboard modern RJ100 aircraft. Each staff person is highly committed to passenger service.

Page 116

Tampa, Panamerican Mercantile Air Transport S.A. is a proud Antioquean company began in 1973. It has not only contributed to Antioquia's progress but also with the progress of the whole country with its import-export transportation services to and from any part of the world via its New York, Miami, San Juan, Caracas, Panama, Quito, Guayaquil and Lima routes. Throughout its 23 year history it has renewed its basic service, ethical and social obligations on a daily basis.

Page 117

The José María Córdova Airport, located in the municipality of Rionegro, was opened in 1985. All major national and international flights are scheduled there. The terminal itself is semicircular and crowned by a massive transparent dome which shelters the airport's service areas, shops and restaurants as well as the waiting rooms.

Page 118

Above, El Sol (The Sun), the work of Maestro Ramírez Villamizar, is in place in front of the José María Córdova. Below, Las Cometas (The Kites) by artist Clemencia Echeverri, in the round point at the entrance to the airport.

Page 119

The gracious **Las Lomas Forum Hotel** is located in the lush Sajonia Valley in Eastern Antioquia among blooming orchids, begonias and azaleas. Very near to Medellín, and only 700 meters from José María Córdova International

Airport, this elegant, peaceful and warm hotel is the ideal place for meetings and conventions. It is also ideal for nature trips, thanks to its natural surroundings and spectacular surrounding vistas.

Página 120

The Parque Ecológico de Piedras Blancas is a beautiful forest reserve run by **Comfenalco**. This fresh air and peaceful oasis is within the Guarne municipality, just 17 kilometers from Medellín along the road to Santa Elena. It is a small and privileged spot in our planet: brimming with nature where one may fully enjoy an enriching bodily and spiritual experience. Its vegetation offers a great number of forms and figures, and its multicolored birds and abundant wildlife are there to admire. The Parque Ecológico de Piedras Blancas has 18 natural forrest hectares with marked nature trails for safe hiking. Its complete tourism and recreational facilities make any visit an enjoyable one.

Page 121

It is called the Tequendamita and it is another of the sidetrips to be made eastward from Medellín. In addition to the spectacle of the natural water fall, one can take advantage of tasting regional dishes in their places of origin while watching the landscape that stimulated their invention.

Page 122

The Llanogrande Hostelry is located 2,500 meters above sea level just a few minutes from the José María Córdova Airport. Its facilities are furnished with all the features required for successful conventions and business meetings. Clean air, peacefulness and ample well provided recreational facilities are some of the advantages offered to guests.

Page 123

In the Valle de Rionegro - La Ceja, to the east of Medellín, is the La Fe Dam. There are many country homes along its banks.

Page 125

On April 3, 1995 the **Medellín Inter Continental Hotel** celebrated its 25th anniversary by restating its objective of providing greater guest comfort. Thanks to the total upgrading of its guest rooms, restaurants and other areas and to the human and professional quality of its staff this renewed **Inter-Continental** keeps its five star service.

The Inter-Continental Floor Club on the seventh floor is designed to cater to visiting business people and personalities: 24 hour valet and concierge service, computer connections, fax, meeting area in each room and personalized service.

Page 127

Decorative brick is widely used by Medellín architects.

Page 128

Since 1984, Medellín has had a mayor in charge of parks and public grounds. Every year 10,000 native or adapted species of trees have been planted. The city fights diligently to maintain its air quality.

Page 131

In many of Medellín's barrios varied and capricious architectural styles from diverse periods live happily side by side. Here there is a charming home still surrounde by gardens.

Page 132

Modern architecture in Medellín can be seen in buildings, houses, and residential developments.

Page 134

El Poblado is the part of Medellín that has seen the greatest growth over the last two decades. The church of San José is on the main plaza, where in 1616 the village was founded with the name of San Lorenzo de Aburrá, which later was changed to Medellín. A series of activities take place on the plaza, among which are the campesino markets and weekend retreats.

Page 136

Until twenty years ago, El Poblado was a peaceful barrio filled with sprawling country homes. The city's urban growth has rapidly changed this physiognomy, transforming it into an area of modern apartment and office buildings, which arise amidst the vegetation of the old mansions.

Page 140

Since its opening, the **Poblado Plaza Hotel** remains at the vanguard thanks to the continuous upgrading of its physical facilities as well as its technological infrastructure enabling it to satisfy the modern executive's requirements. It is widely known for its characteristic personalized service.

Page 141

Main offices of **Banco Superior Diners Club** in the Antioquia zone. In these modern and beautiful offices of El Poblado, are centered all activities of the new Banco Superior, institution which has inherited the history of more than 32 years of success of Diners Club credit card. From this zone, are covered Antioquia, Córdoba, Sucre and Chocó Departments. There are also three additional offices: Caracas, San Diego and Unicentro also rendering efficient services to cardholders, member establishments and investors: the first two handle banking operations and offer "Account Superior", created as the complete solution to the financial need of customers.

Page 143

The guayacan is one of the typical trees in Medellín. Its flowers once and year in yellow or pink. Due to a rule established by the green major of the city, each tree that has been chopped down, has to be replaced by other.

Page 144

Along the El Poblado part of town are new buildings of increasingly modern styles.

Page 145
Colombian Designs has been in the leather furniture business in the country for 10 years enjoying a prominent position; it currently imports its leather from Argentina in order to offer better quality and to keep up with the latest international market trends. Coldesign has increased its products with high quality and exquisitely finished oak furniture products; as well as with imported decorative rugs. It currently has sales outlets in Cali, Bogotá and Medellín's Zona Rosa. Coldiseño has always distinguished itself for its high quality and is currently one of the most important furniture exporters in the country.

Page 146
There are 550 hectares of parks and public grounds in the city. The majority of this land is planted with native species of trees and fruit trees such as Guava, Mango and Orange trees.

Page 147
The English styled PARK 10 Hotel is located within the El Poblado neighborhood just a few steps from the Zona Rosa, a dynamic and flourishing district ideal for leisurely shopping and art gallery, antique shop and café hopping. It is a Hotel which combines elegance, sobriety and good taste with state-of-the-art hotel technology.

Page 149
Mimo's Ice Creams was born in Medellín in 1971. Since then it has offered consumers a wide variety of products which feature the sweetness, color and taste of tropical fruits. The excellent quality of its locally and internationally renown ice creams, added to the warmth of its staff, has made **Mimo's Ice Creams** a delightful meeting spot.

Page 150
The young Girls borned in Medellín are happy, good looking and charming.

Page 151
The Macarena Bullring dates from the forties. The ring and doors are made of comino Crespo, a magnificent, decorative hardwood. This please puts on all its finery in the first two months of the year when de Feria Taurina de la Candelaria is held. The best bullfighters of America and Spain delight the fans of this, the most Spanish of the arts.

Page 152-153
The Medellín River crosses town from south to north. Its west bank, between San Juan and Colombia streets, has witnessed important urban developments and is now crossed by the metro. This provides riders with a grand view of the bull ring, the stadium, the velodrome, the covered coliseum, apartment and office buildings.

Page 154
Helicol, is a specialized air service and similars organization providing local and international service. Its goals embody a new service dimension for business in general. It strives by addressing mayor challenges for the sake of progress.

Page 155
On the Valle de Aburrá's geographical axis **Suramericana Insurance** has built a beautiful housing development with multicolored gardens, planted trails and sculpture work. Its central house is framed by **La Vida**, a sculpture commissioned to Rodrigo Arenas Betancourt by this firm as an additional cultural contribution to the city. The sculpture **Estelas** by Hugo Zapata also blends with this attractive scenery.

Page 156
Medellín is known as the flower and eternal spring city. Tree plantings adorn a great number of streets. Flower planted dividers, such as this one on Avenida El Poblado, are frequently seen.

Page 157
Andino Elevators was the first elevator company in Colombia. It has an 8,000 square meter plant and its product production input contribution is 85% of the total manufacturing process. Its high quality and strict ISO9001 and EN81-1 manufacturing standards positions it as a leading local export company which has achieved European, Asian and American markets, mainly Thailand, Kuwait, Saudi Arabia and China.

Page 158
The Autopista Sur, surrounded by local species tree growth, runs parallel to the Medellín River. Along this important traffic artery are many of the city's important manufacturing plants.

Page 159
Industrias Haceb S.A. is an Antioquian firm started in 1940 to repair household electrical appliances. Later it manufactured gridirons and positioned its brand nationwide. It subsequently diversified into a large range of electric and gas appliances: two and three unit gridirons, stoves, ovens, water heaters and refrigerators, all having excellent quality. It likewise undertakes kitchen furniture work. At its South Freeway and Copacabana plants Haceb currently has more than 1,800 employees.

Page 160
Surrounded by various local tree specimens, the Autopista Sur runs parallel to the Medellín river. Along this important highway are the city's most important manufacturing plants.

Page 161
Espumas Medellín Ltda. was founded in 1974 and is part of the Grupo Espumados S.A. It manufactures and markets low and high density foams for the furniture, footwear, textile and leather industries. It currently has the most significant foam manufacturing facilities in Latin America, excellent staff and state-of-the-art technology. Its philosophy is focused on high quality products and service, competitive prices and prompt delivery.

Page162
The **Clínica Las Vegas** opened in 1992 and since then its main objective has been to furnish humane, ethical and dignified health services. More than 200 health professionals serve in all of the medical specialties. This clinic offers: doctor consulting services, high technology laser surgery, video-laparotomy surgery, video-endoscope surgery and diagnosis assistance via its clinical laboratory and its X-ray and pathology departments. Hospitalization features comfortable beds and elegant rooms.

It also enjoys modern and well equipped intensive care units and true cardiovascular surgery experts.

Páge 165
Medellín took a big step forward in health services with the opening of the medical and shopping **Las Americas** citadel to the city's southwest. Nearly 400 health professionals provide hospitalization, surgery and emergency services. This complex is made up of a state-of-the-art clinic, a tower with 126 doctor offices and a full shopping mall with ample parking areas, pedestrian walks and parks. Its infrastructure and logistics and a trained human-medical-scientific team faithfully reflect its patient focused outlook and its total health service concept.

Page 166
Around the Olaya Herrera airport many important housing developments and service agency headquarters have been built.

Page 167
The Departmental Government, via the Dirección Seccional de Salud de Antioquia and with interagency support, pursues the flying health program (P.A.S.) as a strategy to furnish health services to important rural communities.

Page 168
Tutti-Frutti S.A. is a leading Colombian juice and natural refreshment firm. Its products are manufactured under the strictest quality control standards. Tutti-Frutti products have enjoyed local demand since its founding in the 50's. Its products are currently undergoing a major marketing drive nationwide.

Page 169
To celebrate the first hundred years of the independence of Antioquia in 1913, la Sociedad de Mejoras Públicas de Medellín (Medellín Public Improvements Society) planted a forest which they called the Bosque de la Independencia. Initially it was used as a sports field. It was where the first organized soccer game was played. In 1969, the Bosque was renamed the Joaquín Antonio Uribe Botanical Gardens. The Botanical Gardens have a collection of the majority of the principal plants and trees that grow in Colombia, a magnificent lake, a nursery, botanical library, herbarium, auditorium and an orchid collection like no other in the world.

Page 170
At night, good music and good conversation among friends often take place at the many bars and taverns located throughout the city. There, the warmth instilled by "aguardiente", the most typical of all liquors in Colombia, which is downed along with "pasantes", bits of mango, coconut, uchuva, orange and tomatillo, helps time pass most pleasantly.

Page 171
The southwestern Aburrá Valley orbits around the firms which introduced a workstyle that has forever stamped the drive, initiative and creativity of Antioquia's Paisa people. One of these companies is **Cervunion** — Unión Brewery S.A.— the area's first beer and malt production, distribution and sales industry. It has also joined the refreshment industry. Cervunion has been a flagship supporter of sport and civil events throughout the department. It is looked upon as a genuine Paisa source of pride.

Page172
Some 23 years ago a group of vigorous Antioqueñeans built the **San Diego Shopping** Mall, the first in the country. Today it is a city landmark and has influenced a new business culture with nationwide impact. Safety, variety, comfort, open air, vegetation and product quality are the features introduced by the mall. San Diego has undergone two grand expansion projects.

Page173
The most recent expansion, known as San Diego III Phase, provides 200 product and service shops, 2 formal restaurants and eating areas, 1,400 parking spaces and 112 offices.

Page174
Unicentro Is located at the heart of Medellín's west on Bolivariana Avenue and at the Nutibara Avenue, Avenue 35 and Carrera 35 intersection, making it easily accessible. It has ample promenade and rest areas and is adorned with fine furnishings, fountains, lighting and natural vegetation.

Page 175
It has 1,138 surveilled and covered parking spaces, closed circuit TV, children recreation areas, 2 theaters, 20 offices, a grand supermarket and 200 shops which form a kind of citadel radiating modernism, courtesy and charm. The visitor may find a great number of excellent quality products in **Unicentro** and, what is more important, special service.

Page 176
Beautiful bird's eye view of one of the many traffic intersections. This one is between the El Poblado and the Autopista Sur.

Page 177
The **Antioquia Liquor Plant** has had a prominent role in Antioquia's XX Century business history. It was created pursuant to Ordinance 38 dated April 28, 1919. In 1920 it began "aguardiente" and rum production, which have since then become **ALP** flagship

roducts. Gin, vodka, coffee and menthe cream nd apple cordial have been added. he **Antioquia Liquor Plant** is the top liquor manufacturer in the country.

Page 178

l Colombiano, the topmost regional newspaper n Colombia. Throughout its history, which dates back to 1912, it has become the voicepiece of one of the most heavily populated and important areas of the country , the Department of Antioquia.

Page 179

l Colombiano leads in information service thanks to a highly qualified staff and modern technology providing an agile, modern and objective newspaper.

Page 180

Medellín is not only famous for its shopping centers but also for the large number of shops and businesses in the center. There are at least two full kilometers of shopping galleries full of shops with a broad and extremely varied array of merchandise at reasonable prices.

Page 181

Camino Real At Oriental Avenue and La Playa he Camino Real Shopping Mall offers what you want: variety, good taste, exclusive designs and good values. It is viewed as "the" Downtown Shopping Mall. One may shop there at leisure, n comfort and safety.

Page 182

To eat a snow cone, enjoy a juicy piece of fruit, truly savor a cup of native "guarapo" or allow a parakeet to tell you about your future love, wealth and health are but a few of the delights that await passers-by in the public parks, especially on weekends.

Page 183

Several events are held in which artist, artisans, antique dealers and other interested parties gather to sell their wares. The more outstanding and the Flea Market in Bolívar Park and the Art Fair at El Castillo Museum. Very popular as well are the sweets Market and the bazarte, both events are held annually.

Page 184

To eat a snow cone, enjoy a juicy piece of fruit, truly savor a cup of native "guarapo" or allow a parakeet to tell you about yuor future love, wealth and health are but a few of the delights that await passer-by in the public parks, especially on weekends.

Page 186

Extroverted, jovial, amiable,hospitable.These are adjectives that rightfully apply to the women of Antioquia, whose beauty has been praised in diverse ways by writers, painters, composers and poets.

Page 187

Medellin is known as the "City of Flowers". An orchid, the "Catleya" is its symbol. Every year in August, the Flower Fair is held which includes local festivals and a beauty pageant. The event is crowned by the famous Parade of the "Silleteros".

Page 188

The silletero has been a traditional part of Medellín's history. They were men and women who would come down the steep mountainsides with huge boxes (silletas) loaded with flowers from the neighboring settlement of Santa Elena. The flowers were taken to the city's markets. Even though this charming custom has disappeared, their existence was the beginning of a very special development and to them the flower growers and workers alike pay homage in the unique parade held every August. Entire families prepare their entries in The Parade of the Silleteros for which prizes are awarded in several categories.

Page 190

The Parade of the Silleteros is a convocation of the entire family. Children, men, and women participate by arranging stem after stem, color on color, filling the "silletas" with flowers which they carry proudly on their backs.

Page 193

Some 400 to 500 campesinos participate in the Parade of the Silleteros. This event already has a 35 year tradition and it has become Medellín's most alluring tourist attraction.

Page 195

SIlletas may by "emblematic" true works of art where flowers replace brush strokes, or monumental, those which weigh several kilos and require thousands of multi-colored flowers. The public awards the campesinos' efforts with their faithful presence at the extraordinary parade.

Page 202

Public areas are utilized to bring culture to the streets. In several parks one is treated to diverse artistic manifestations on the weekends. The public always responds.

Page 204

The Symphonic Orchestra of Antioquia has its home in the Metropolitan Theater where they schedule concerts periodically.

Page 205

Many theater groups have permanent presentations in the city. Classical and modern works, experimental theater and children's theater as well as regional or cultural works are constantly being offered.

Page 206

The Metropolitan Theater is the most important stage for artistic presentations. Located very near La Alpujarra, it has a seating capacity for 1,634 persons, and three simultaneous stages equipped with the most modern specifications possible.

Page 207

Don Pablo Tobón Uribe bequeathed part of his inheritance for the construction of a theater. This became a reality and the theater bears his name. It is found at the beginning of the Avenida de la Playa. The people of Medellín enjoy good theater.

Page 208

Medellín also has other stages for cultural presentations, such as the Carlos Vieco open air theater, located in the Nutibara Center and the Fine Arts Palace. The Fine Arts Palace was built by the Sociedad de Mejoras Públicas, whose Republican style construction is the work of architect Nel Rodríguez. The Palace opened its doors to the public in 1928

Page 209

It is now possible to drive along the Bella Villa in a luxury car with all the modern conveniences thanks to **Exsec** whose exclusive total transportation service is provided nationwide. This leading Colombian company, in addition to renting luxurious and comfortable cars with bilingual drivers, cellular phones and all current technological advantages, is supported by the warm, personal service provided by its staff to corporations, business people and visitors. Among other features, **Exsec** provides banquet, convention, wedding and business meeting catering services; courier and delivery services and home, hotel and airport pick-up service.

Page 211

The Museum of Antioquia formerly known as the Zea Museum is next to the Church of la Veracruz. It has been housed in the old Casa de Moneda of Medellín (The Mint). IT dates from 1875 when two private collections belonging Dr. Manuel Uribe Angel and Colonel Martín Gómez were donated.

Page 212

Maestro Pedro Nel Gómez is one of the principal representatives of Antioquian painting. In the house where he lived for many years is a museum dedicated to his memory. Watercolors, oils and drawings are displayed as well as two hundred meters of frescoes, the master's speciality. A good part of the history of Antioquia is told on the walls of this museum house.

Page 213

The Pilot Public Library and Modern Art Museum are two other important cultural centers. The latter houses an important collection of oil paintings by contemporary Colombian artists. It fulfills at the same time meritorious didactic function in diverse fields of the plastic arts, among which is the outstanding Arturo Rabinovich Salon which convokes art students every year. In addition to the exhibition rooms, it has a movie theater and library.

Página 214

In 1914 the first Ferrocarril of Antioquia train ran between Medellín and Puerto Berrío. The former Estación Central is being restored into the Museo del Ferrocarril. To the right, a monument on the Alpujarra outskirts highlighting the Ferrocarril's first locomotive.

Page 215

The work of architect Enrique Olarte, the Central Railroad Station was the entry and departure point for the trains of Medellín until 1978, when they were moved outside the city.

Page 217

Any scene is good material for an enthusiastic street painter. And spectators are never lacking. The Antioquian family goes to many of the presentations that are given out of doors.

Page 218

By municipal order, all buildings built in Medellín after 1973 must have an important art work. For this reason, one sees dozens of sculptures and murals in the more modern areas of the city.

Page 219

In the middle of the fountain that graces the entrance to the Pablo Tobón Uribe Theater emerges the monument to La Bachué, the Aburrá Indian mythological figure interpreted in bronze by sculptor José Horacio Betancur, whose portrait is above this text. In front stands one of the works in the Park of Sculptures and the Monument to the "Arriero" (mule driver), the man who helped make Antioquia great.

Page 220

The beauty of the women of Antioquia has been sung by many. Blonds, olive skinned beauties and brunettes vie for admiring looks. But the prototype of the "paisa" has olive skin, dark eyes and hair, a willowy body, and a certain carriage that made a poet say "the palm of the desert is not as beautiful".

Page 221

Sculpture au natural on Nutibara Hill, above. And below, Cascade donated by Enka of Colombia. The great rock formation was used as a base on which to set the great marble box through which the water flows.

Page 222

In 1836 the first higher educational center, called the Colegio Académico Provincial del Estado (State Provincial Academic College), was founded in Antioquia. Governor Pedro Justo Berrío changed its name to the University of Antioquia in 1871. This university functioned in San Ignacio Plazuela until 1968 and was moved to a modern campus in 1969. Some 20,000 students receive instruction in fourteen faculties, four institutes, and four schools which comprise today's University of Antioquia.

Page 224

Medellín has ten higher learning centers dedicated to imparting information not only to the youth of the city but to students from the rest of the Department of Antioquia and other regions of Colombia. In the picture above, the Campus of the Universidad Nacional, Antioquia Branch, better known as the School of Mines.

Page 225

Above, the Concilliar Seminary of Medellín located on the road to Las Palmas. Pope John Paul II stayed at the Seminary during his 1986 visit. Next to the Seminary, one of the buildings of the Escuela de Administración y Finanzas (Business Administration and Finance School), EAFIT, another of the higher educational centers.

Page 226
San Pedro cementery to the north of the city is the most traditional of the cementeries of Medellín. It was set aside as sacred ground in 1842. Three years later, it was blessed and began to fulfill its purpose as a burial ground. The remains of many important people are buried there, such as former presidents Mariano Ospina Rodríguez, Pedro Nel Ospina, and Carlos E. Restrepo, and intellectuals Jorge Isaacs, Tomás Carrasquilla, Juan de Dios Uribe, María Cano, and Luis López de Mesa.

Page 227
Today, on the lands of old Santa Fe hacienda, stands the city's zoo. Some 1,400 animals belonging to 230 species are cared for in this compound. The animals are kept in habitats as close to their natural habitats as possible. And much to the credit of the zoo's staff, several endangered species have been able to bear young while in captivity.

Page 232
The Atanasio Girardot sport city features a soccer stadium, covered coliseum, baseball field, olympic pools, velodrome, tennis courts and other sports facilities. The city has two professional soccer teams: the Atlántico Nacional and the Deportivo Independient Medellín.

Page 234
Casablanca Carnes. Tops in state the art beef shop handling and presentation innovations features the best quality products and service in Medellin.

Page 235
Versatility, comfort and resource maximization are the basic criteria used by **Ducon Ltda.,** to design products pursuant to Colombian market needs. The Ducon Open Office Modular System is an Antioquean product easily available to a wide public seeking to efficiently and reasonably rationalize its spaces.

Page 237
The city has a moderate tropical climate which is perfect for practicing all manner of waters sports such as swimming, water ballet, diving and water skiing. There are several public pools in various of the city's parks. One of the most important is the wave pool in Juan Pablo II Park next to the Olaya Herrera Airport.

Page 239
Antioquia is a Department of athletes, many of whom have achieved various triumphs in national and international competitions. Besides soccer, athletes have made outstanding shows in skating, cycling and track. These aforementioned trials can lay claim to champions "Made in Medellín".

Page 241
Sports are not only for those who participate in them but also for the assiduous spectators who follow them every step of the way. At sporting events one also sees spectators carefully dressed in the latest fashions and with the greatest elegance.

Page 243
The city has several parks. Perhaps the most important of them all is North Park, which provides diversion for both young and old. Among the entertainments on offer is a replica of an old steam paddle-wheeler, of the type that used to ply the waters of the Magdalena River. There are also rides like the Ferris Wheel, a huge slide and a lake for rowing.

Page 245
One of Medellín's principal tourist attractions is how it dresses up for Christmas. Christmas decorations and lights are the responsibility of the Empresas Públicas and with the help of corporations and other entities, the month of december looks like a fairy land, a spectacle that enlivens the spirit and delights the eye as the year draws to an end.

Este libro, en su tercera edición, se terminó de imprimir en los Talleres
de Panamericana Formas e Impresos S.A. en diciembre de 1995.
Una publicación de Ediciones Gamma© y Somos editores.
Carrera 10 No.64-65, teléfono 3460800
Santafé de Bogotá, D.C. Colombia.